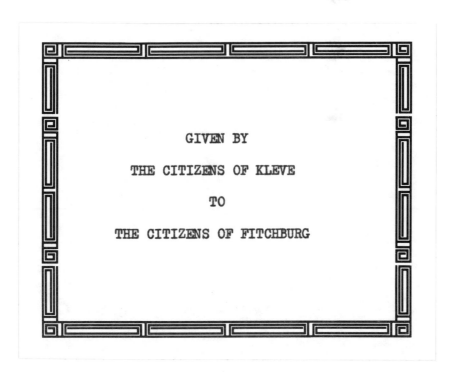

Das Schicksalsjahr der Deutschen

Vom 9. November 1989
bis zur ersten gemeinsamen Wahl 1990

Herausgegeben von
Winfried Maaß

Graphische Gestaltung: Norbert Kleiner, Dietmar Schulze
Bildtexte: Sven Rohde
Lektorat: Klaus Humann
Bildredaktion: Katja Aldorf-Russbült
Chronik: Matthias Weber

Herausgeber: Klaus Liedtke
Programmleitung: Dr. Manfred Leier
Verlagsleitung: Peter Schlickenrieder
Herstellung: Bernd Bartmann, Druckzentrale G+J
Satz: Neef, Wittingen
Litho: Eichenberg Repro, Hamburg
Druck: Mohndruck, Gütersloh
© Sternbuch im Verlag Gruner+Jahr AG & Co., Hamburg
1. Auflage 1990. Redaktionsschluß: 31. Januar 1990
ISBN 3-570-06623-1

Inhalt

Der deutsche Traum

Von Winfried Maaß

Anmut sparet nicht noch Mühe
Leidenschaft nicht noch Verstand
daß ein gutes Deutschland blühe
wie ein andres gutes Land.

Daß die Völker nicht erbleichen
wie vor einer Räuberin
sondern ihre Hände reichen
uns wie andern Völkern hin.

Und nicht über und nicht unter
andern Völker wolln wir sein
von der See bis zu den Alpen
von der Oder bis zum Rhein.

Und weil wir dies Land verbessern
lieben und beschirmen wir's
und das liebste mag's uns scheinen
so wie andern Völkern ihrs.

Bert Brecht 1950

Wir Deutschen durchleben historische Zeiten, daß es uns fast aus den Fernsehsesseln reißt. Wie eine unendliche Geschichte flimmern vor uns die Sensationen der deutschen Vereinigung vorbei. Fahnen werden geschwenkt. Todesstreifen beleben sich. Menschen treten als Helden auf und als Spitzel wieder ab. Der Einheitskanzler spricht. Und wir singen das Deutschlandlied — zum Teil so falsch, daß es wehtut.

Nichts von all dem verweilt, alles eilt weiter — nur nicht dieses Buch. Es hält jenes nun in die Geschichte eingehende Schicksalsjahr der Deutschen fest, das von den Leipziger Montagsdemonstrationen vom Herbst 1989 bis zu den gesamtdeutschen Wahlen im Dezember 1990 die politische Welt veränderte. Das dramatische Geschehen noch einmal in Muße vor Augen zu führen und zugleich durchschaubarer zu machen ist das Ziel der Mitarbeiter dieses Geschichtsbilderbuches. Als Fotoreporter, Berichterstatter und politische Beobachter waren sie allesamt Augenzeugen jener deutschen Lawine,

die uns alle überrollt hat — Ossis wie Wessis, Erich Honecker wie Helmut Kohl, und auch jene besonnenen DDR-Revolutionäre der ersten Stunde, die sich das Zusammenwachsen der beiden deutschen Nachkriegsstaaten behutsamer und schmerzloser wünschten, als es nun vonstatten geht.

Die Anfänge des langen Weges zur derzeitigen deutschen Einheit führen bis in jene französische Revolution zurück, deren 200. Jahrestag die DDR-Führung im Sommer 1989 noch feiern ließ, bevor sie selbst vom Thron gestoßen wurde und ihre ziemlich provinziellen Herrensitze in Wandlitz räumen mußte. Der Sturm auf die Pariser Bastille von 1789 hatte einst auch in deutschen Landen die Sehnsucht nach Volksherrschaft geschürt, und der aus der Revolution hervorgegangene Imperator Napoleon Bonaparte ließ es den Deutschen bald geraten scheinen, sich mit der Demokratie auch einen starken deutschen Einheitsstaat zu wünschen.

Seit der Niederlage Napoleons in der Völkerschlacht bei Leipzig hat es immer wieder eindrucksvolle Demonstrationen für ein demokratisches Gesamtdeutschland gegeben, das an die Stelle von mehreren Dutzend großenteils feudalistisch regierter Klein- und Kleinststaaten treten sollte. Politische Freiheit und deutsche Einheit, nach denen im Herbst 1989 auf den Straßen der DDR verlangt wurde, waren schon die Forderungen der Burschenschaften beim Wartburgfest 1817, der Massendemonstration beim Hambacher Fest 1832 und der bürgerlichen Revolution der Jahre 1848/49.

Das „Einigkeit und Recht und Freiheit" im 1841 entstandenen Deutschlandlied Hoffmanns von Fallersleben ist eine demokratische Parole jener Zeit. Sie bestimmte auch das Denken der liberalen Abgeordneten im ersten gesamtdeutschen Parlament, der 1848 in der Frankfurter Paulskirche zusammengetretenen Nationalversammlung. Schon dort wurde die Abschaffung der Zensur gefordert (die von der DDR-Obrigkeit später wieder eingeführt werden sollte). Mit großer Mehrheit stimmten die Achtundvierziger gegen die Privilegien des Adels (die in der DDR durch Privilegien für Funktionäre ersetzt wurde). Gleiches Recht für alle Bürger wurde gefordert (statt gleiches Unrecht wie in der DDR).

Doch die Revolution von 1848/49 scheiterte, wie der Aufstand in der DDR vom 17. Juni 1953, an der Macht des Militärs. In Berlin ließ damals Prinz Wilhelm von Preußen Kanonen gegen die auf den Barrikaden kämpfenden Patrioten auffahren und handelte sich damit den Schimpfnamen „Kartätschenprinz" ein. Am 18. Januar 1871 wurde derselbe „Kartätschenprinz" im Königsschloß von Versailles dem besiegten Frankreich zum Hohn zum deutschen Kaiser proklamiert. Nicht zu einem Vaterland freier Bürger einer demokratischen Republik wurde Deutschland unter Ausschluß Österreichs an jenem Tag vereint, sondern zu einem Fürstenbund unter preußischer Vorherrschaft.

Die im Deutschlandlied geforderte Einigkeit mag im Kaiserreich annähernd erreicht gewesen sein, Recht und Freiheit aber ließen auf sich warten. Es herrschten wilhelminische Großmannssucht und preußischer Militarismus (dessen letzte Reste sich später im Stechschritt bis zu Ulbricht und Honecker hinüberretteten). Die Presse blieb weiter geknebelt. Bismarcks Sozialistengesetz unterdrückte die Arbeiterbewegung. Generäle brüteten über Eroberungsplänen. Nicht das Parlament, sondern der Kaiser ernannte Reichskanzler und Regierung.

Erst die Revolution kriegsmüder Matrosen und Soldaten fegte Ende des Ersten Weltkriegs den deutschen Obrigkeitsstaat mitsamt Kaiser, Königen, Großherzögen und Erbfürsten in den Orkus der Geschichte. Am 3. Oktober 1918 erhielt Deutschland zum erstenmal eine vom Parlament gewählte Regierung. Das Kaiserreich wurde Republik, und der spätere sozialdemokratische Reichspräsident Friedrich Ebert verkündete am 22. Oktober 1918 im Reichstag die „Geburtsstunde der Deutschen Demokratie". Zum erstenmal erhielten Frauen Wahlrecht und wurden die Rechte der Gewerkschaften als Vertreter der Arbeiterschaft festgeschrieben. Im August 1919 verabschiedete die frei gewählte Weimarer Nationalversammlung die erste demokratische und parlamentarische Verfassung Deutschlands, die freiheitlichste im damaligen Europa.

Doch die Mehrheit der Deutschen erwies sich nicht als stark genug, die neugewonnene Freiheit auch gegen ihre Feinde von links und rechts zu verteidigen. Weltwirtschaftskrise und Massenarbeitslosigkeit schwächten die junge Demokratie. Nicht durch einen Staatsstreich, sondern durch demokratische Wahlen gelangten schließlich die radikalsten Demokratiefeinde 1933 an die Macht: Hitlers Nationalsozialisten mit ihren Terrororganisationen SA und SS. Die Folgen sind bekannt: Der Zweite Weltkrieg mit seinen Millionen Gefallenen, Millio-

nen Vergasten, Millionen auf andere Art Ermordeten, Millionen Heimatlosen, Millionen Verkrüppelten.

Die Deutschen selbst bezahlten ihre Gefolgschaft zum NS-Regime auch mit dem Verlust ihrer Ostgebiete und der Teilung ihres restlichen Vaterlandes in eine von Moskau beherrschte östliche und eine von den Westmächten abhängige westliche Hälfte. So kamen dann schließlich Ende der vierziger Jahre zwei deutsche Teilstaaten zustande: Die DDR mit einer die kommunistische Einparteienherrschaft begünstigenden Verfassung und die Bundesrepublik mit ihrem eine parlamentarische Demokratie garantierenden Grundgesetz. Frühe Versuche zumeist linksgerichteter Kräfte, die Staaten zu vereinen, scheiterten. Eine von dem früheren CDU-Minister und späteren SPD-Politiker und Bundespräsidenten Gustav Heinemann gegründete Gesamtdeutsche Volkspartei fand im Westen kaum Wähler und durfte in der DDR zu Wahlen gar nicht erst antreten.

Nur in den Hymnen der beiden Staaten lebte der Wille zur Einheit noch ein wenig weiter. In Bonn erklärte Bundespräsident Theodor Heuss nach längerem Zögern 1952 die dritte Strophe des Deutschlandliedes zur Hymne, in der „Einigkeit und Recht und Freiheit für das deutsche Vaterland" gefordert werden. Für die DDR dichtete der Kommunist Johannes R. Becher: „Auferstanden aus Ruinen / und der Zukunft zugewandt / laß uns Dir zum Guten dienen / Deutschland, einig Vaterland." Doch das durfte dann in Ostdeutschland bald nicht mehr gesungen werden.

Der sich verstärkende Kalte Krieg zwischen den Weltmächten tat ein übriges, die deutsche Teilung zu vertiefen. Immer mehr entwickelte sich die DDR zu einer Einparteiendiktatur unter der aus einer Zwangsvereinigung von KPD und SPD hervorgegangenen SED. Es gab im deutschen Oststaat keine wirklich freien und geheimen Wahlen. Östliche CDU, LDPD, NDPD und Bauernpartei spielten nicht die Rolle der Opposition, sondern die von Komplizen der herrschenden Staatspartei. Stehend bereiteten ihre Abgeordneten gemeinsam mit SED-Leuten in der Volkskammer Walter Ulbricht und nach ihm Erich Honecker Ovationen.

Die DDR-Deutschen lebten weiter unter einer Diktatur, und diese erwies sich als zählebiger als die vorangegangene braune. Ein von Ost-Berlin aus die ganze DDR erschütternder Volksaufstand gegen das SED-Regime scheiterte am 17. Juni 1953 an der Intervention der sowjetischen Besatzungsmacht. Panzer mit Rotem Stern schützten die Regierung Ulbricht vor ihrem Volk und ließen den Dichter Bert Brecht spotten: Wenn sich das Volk seiner Regierung nicht würdig erweise, bleibe der nichts anderes übrig, als sich ein neues zu wählen.

Im Innern stabilisierte sich das System nach sowjetischem Muster durch ein Heer von Parteibürokraten, die sich ihrer Herrschaft um so gefügiger zeigten, je überforderter sie von den ihnen übertragenen Ämtern waren. Der wildgewordene Kleinbürger, der bei den Nazis als Blockwart Macht ausüben durfte, bewährte sich nun als kommunistischer Kader. Hinzu kam der wie ein Krebsgeschwür allerorts Metastasen bildende Staatssicherheitsdienst mit seinem Heer von offiziellen und inoffiziellen Spitzeln.

Angesichts dieses ungeheuren Machtapparates, der immer riesigere Anteile des erwirtschafteten Sozialproduktes verschlang, war politische Opposition in der DDR nahezu zwangsläufig zum Scheitern verurteilt, solange sie nicht von einer revolutionären Bewegung gestützt wurde. Zu Tausenden verschwanden Sozialdemokraten, die sich der Zwangsvereinigung verweigerten, sowie unangepaßte liberale und christliche Politiker hinter Zuchthausmauern. Selbst SED-Mitglieder, die sich nach der von Nikita Chruschtschow in der Sowjetunion eingeleiteten Entstalinisierung für Reformen in der DDR einsetzten, wurden verhaftet und als Konterrevolutionäre verurteilt.

Die Bevölkerung reagierte auf die Unterdrückung mit Massenflucht. In Zahlen nicht auszudrükken ist der Verlust, den die DDR dadurch in den 40 Jahren ihres Bestehens vor allem auch an Intelligenz und Kreativität erlitt. Ganze Abiturklassen und halbe Studentenjahrgänge setzten sich in den Westen ab, der ihnen außer demokratischen Freiheiten nicht zuletzt bessere Verdienstmöglichkeiten zu bieten hatte. Auch die stellungskriegartige Befestigung der innerdeutschen Grenze und der Bau der Berliner Mauer vermochten das Ausbluten der DDR nicht vollends zu stoppen.

Der mitten durch Deutschland verlaufende Graben zwischen Ost und West wurde derweil tiefer und tiefer. In den Zeiten der atomaren Hochrüstung richteten sich NATO und Warschauer Pakt in Planspielen schon darauf ein, den fast unabwendbar erscheinenden Vernichtungskrieg vornehmlich auf deutschem Boden auszutragen.

Es blieb dem sozialdemokratischen Bundeskanzler Willy Brandt und seinem Außenminister Walter Scheel vorbehalten, wenigstens die erstarrten Fronten zwischen den beiden deutschen Staaten mit einer „neuen Ostpolitik" aufzuweichen. „Wandel durch Annäherung" nannte der Brandt-Berater Egon Bahr das Konzept dieser Politik, die zunächst menschliche Erleichterungen im Verkehr über die innerdeutsche Grenze zum Ziel hatte, aber dabei das größte Ziel einer deutschen Einheit nicht aus dem Auge verlor. Brandt 1964: „Der Wille zur Einheit als Volks ist im freien Teil Deutschlands nicht schwächer, sondern stärker geworden."

Tatsächlich führte die noch heute von Außenminister Hans-Dietrich Genscher verfolgte Brandtsche Entspannungspolitik zu einer ähnlichen Aussöhnung mit dem Osten, wie sie in den Anfangsjahren der Bundesrepublik Konrad Adenauer nach Westen erreicht hatte. Einerseits gelang es, die DDR bis in die SED hinein mit demokratischem Gedankengut (wie auch westlichem Wohlstandsdenken) zu infizieren, was der frühere DDR-Außenminister Otto Winzer eine „Aggression auf Filzlatschen" nannte. Andererseits führte die Politik der „kleinen Schritte" Schritt um Schritt zu jener sowjetischen Reformpolitik und demokratischen Revolution in Osteuropa, ohne die eine deutsche Einheit nicht denkbar wäre.

Natürlich sind Männer wie Brandt und Genscher nicht die einzigen Väter der Umwälzung — von der beide nicht dachten, daß sie so schnell kommen würde. Das historisch größte Verdienst um die deutsche Einheit gebührt — neben den Revolutionären in der DDR — dem sowjetischen Reformer Michail Gorbatschow, der das Zusammenwachsen der beiden Deutschland 1990 ohne Einschränkungen ihrer Souveränität überhaupt erst politisch ermöglichte. Verdient machte sich auch Bundeskanzler Helmut Kohl, der die Vereinigung trotz aller Schwächen des Grundlagenvertrages ohne die bei ihm nicht immer auszuschließenden Tapsigkeiten geschickt exekutierte.

Aber vor die Einheit hatte die Geschichte erst einmal die Revolution in der DDR gesetzt. Sie kam aus mehreren Lagern, und ihre Basis war breit — gleich jener der Französischen Revolution von 1789. Wie kalter Hohn mußte es auf die noch denkfähige DDR-Bevölkerung wirken, daß sich ausgerechnet die Machthaber des abgewirtschafteten und nur durch blanken Terror noch funktionsfähigen SED-Staates am 200. Jahrestag des Sturms auf die Bastille in die Tradition der Revolution von Paris zu stellen versuchten.

Man kann an die Forderung nach Freiheit, Gleichheit und Brüderlichkeit nicht erinnern, ohne daß sich das heutige Volk fragt, wie es denn im eigenen Lande mit den hohen Idealen bestellt sei. Freiheit in der DDR? Niedergeknüppelt, durch Zensur unterdrückt, durch Mauer und Stacheldraht behindert. Gleichheit in der DDR? Nicht mit dem herrschenden Funktionärsadel. Brüderlichkeit? Nein, Bespitzelung, Bevormundung, Bestrafung Andersdenkender.

In zwei großen Strömungen richtete sich die Volksstimmung im Sommer 1989 mit wachsender wenn auch friedlicher Gewalt gegen den Arbeiter- und Bauernstaat, in dem Arbeiter und Bauern so wenig zu sagen hatten. Viele junge Leute vor allem beschlossen, der ruinösen DDR den Rücken zu kehren, weil sie nicht so leben wollten, wie vierzig

DDR-Jahre lang ihre Eltern. Eine Flüchtlingswelle riesigen Ausmaßes spülte die Staatsverdrossenen auf Umwegen über östliche Nachbarländer in die Bundesrepublik, das Land der Verheißung, in das nun plötzlich das alte Arbeiterlied mit seinem „Brüder zur Sonne zur Freiheit" zu weisen schien. Mit der von allen westlichen Fernsehkanälen übertragenen Absetzbewegung stieg die revolutionäre Wut unter den Daheimgebliebenen, die ihr Land, an dem doch auch manches liebenswert war, nicht vollends vor die Hunde gehen lasssen wollten.

Aus vorwiegend kirchlichen Friedens- und Umweltgruppen formiert sich eine von Tag zu Tag wachsende Demokratiebewegung. Politische Oppositionsgruppen nehmen trotz Verbots ihre Arbeit auf. Das von Bärbel Bohley, Rolf Henrich und Katja Havemann mitgegründete „Neue Forum" fordert „Gerechtigkeit, Demokratie, Frieden sowie Schutz und Bewahrung der Natur". Revolutionäre Zellen bilden im September 1989 auch eine neue sozialdemokratische Partei der DDR sowie weitere Oppositionsgruppen, darunter der „Demokratische Aufbruch" und „Demokratie jetzt". Sie alle rufen zu einer friedlichen Revolution auf. Erst zu Tausenden, dann zu Zehntausenden ziehen — wie jeden Montagabend in Leipzig — Demonstranten durch die Straßen und lassen die angeblichen Volksvertreter in der Ostberliner Regierung laut skandierend wissen: „Wir sind das Volk!"

Bald heißt dann der Ruf der Massen: „Wir sind *ein* Volk!" Aus der friedlichen Revolution gegen die Diktatur der SED und ihrer Komplizen-Parteien wird eine nationale Bewegung, die das „Einigkeit und Recht und Freiheit" deutscher Demokraten des vergangenen Jahrhunderts einklagt. Und es schwächt die Bewegung nicht, als zu ideellen Forderungen bald auch materielle kommen, daß viele Rufe nach Freiheit nicht zuletzt auch den Wohlstand im westlichen Bruderstaat meinen. Während in Bonn und Ost-Berlin noch über eine mögliche

Konföderation, eine lose staatliche Zusammenarbeit, nachgedacht wird, fordert die Menge längst staatliche und monetäre Einheit: „Kommt die D-Mark nicht zu uns, kommen wir zur D-Mark."

Nichts mehr kann die politische Lawine aufhalten — nicht der Sturz Honeckers und seines Nachfolgers Krenz, nicht die Öffnung der Mauer, nicht beschwichtigende Worte des vom SED-Politbüro nominierten neuen Regierungschefs Hans Modrow. Die Lawine rollt, und schon ist vieles, was eben noch eine Sensation war, bereits Geschichte: Abbau aller Grenzbefestigungen, erste freie demokratische Wahlen in der DDR, Grundlagenvertrag zur Vorbereitung der staatlichen Einheit, Zoll- und Wirtschaftsunion, Umtausch von Ost-Währung in D-Mark, Anschluß der DDR an die Bundesrepublik am 3. Oktober 1990, gesamtdeutsche Wahlen acht Wochen später, Wahl von Helmut Kohl zum gesamtdeutschen Bundeskanzler Anfang 1991.

Längst nun sind die Volksfeste zur Feier der deutschen Vereinigung verrauscht, die letzten Jubelraketen verzischt, die letzten Krüge Freibier ausgeschenkt. Grauer Alltag macht sich breit in den alten und den fünf neuen Bundesländern. Horrormeldungen über Umweltdreck und Massenarbeitslosigkeit und neue Fluchtbewegungen westwärts machen die Runde. Teils in ihren Fernsehsesseln, teils draußen am eigenen Leibe erfahren die gesamtdeutschen Bundesbürger nun den Preis ihrer Einheit. Der Preis ist, was der Einheitskanzler und seine Koalitionäre aus wahltaktischen Gründen lange Zeit vertuscht hatten: daß der reiche Westen für den armen Osten zahlen muß und dem Glück der Freiheit in der Ex-DDR nicht gar so schnell auch das Glück der Gleichheit folgt.

Der für wegweisende Worte immer gute Bundespräsident Richard von Weizsäcker drückt die Forderung der Zeit so aus: „Nun ist die Freiheit errungen, und es gilt, in ihr zu bestehen."

Die Konkursverwalter

Krenz und Modrow

Von Peter Pragal

Der Mann auf dem Bildschirm war sich der Bedeutung seines Auftritts offenkundig bewußt. Mit verkrampftem Lächeln und künstlichem Pathos, die Worte überdeutlich betonend, verkündete Egon Krenz seinen Genossen und allen anderen DDR-Bürgern eine neue Epoche: „Mit der heutigen Tagung werden wir eine Wende einleiten, werden wir vor allem die politische und ideologische Offensive wiedererlangen." Auf ihn und das Volk warte harte Arbeit: „Laßt uns gemeinsam anpakken, was wir anzupacken haben." Was er in einer reichlichen Stunde vom Blatt liest, ist eine Mischung aus alten Phrasen, ein wenig Selbstkritik und vagen Reform-Absichten — halbherzig formuliert und nicht gerade überzeugend vorgetragen. Eine Ansprache, die niemanden mitreißt, aber viele enttäuscht.

„Sie war in der Tat ein eklatanter Fehler", räumt Günter Schabowski später ein, „weil aus ihr nicht zu entnehmen war, was wir vorhatten." Nach Auffassung des damaligen Politbüro-Mitglieds und Wortführers des Wende-Flügels hätte Krenz ein Konzept vorlegen müssen, „und wenn es nur zehn Sätze gewesen wären."

Die mißglückte Antrittsrede mit ihrem zwiespältigen Charakter ist nicht die einzige Fehlleistung des neuen SED-Chefs am Beginn seiner Amtszeit. Obwohl Krenz maßgeblichen Anteil an der Entmachtung seines altersstarren und selbstherrlichen Vorgängers hat, verbreitet er öffentlich die Version, Honecker sei freiwillig und nur aus Gründen seiner angeschlagenen Gesundheit zurückgetreten. Mehr noch: Der Anführer der Frondeure läßt es zu, daß ihn Honecker als seinen Nachfolger vorschlägt. Ein Makel, der einen wirklichen Neuanfang schon im Ansatz denunziert.

Den schwersten Mißgriff leistet sich der Honecker-Nachfolger jedoch mit dem Zugriff auf zwei weitere Posten. Anstatt die wichtigsten Funktionen im Interesse einer Macht-Balance zu trennen, läßt sich Krenz am 24. Oktober wie in alten, post-stalinistischen Zeiten von der Volkskammer zum Staatsratsvorsitzenden und Vorsitzenden des Nationalen Verteidigungsrates wählen.

Der tiefe Argwohn, der ihm aus der Bevölkerung entgegenschlägt, wird durch diese Ämterhäufung noch verschärft. „Unser Gesicht ist dem Volk zugewandt", beteuert Krenz. Doch das Volk glaubt und traut ihm nicht. Es macht vielmehr seiner aufgestauten Empörung Luft. Bei den „Sonntagsgesprächen", die in Ost-Berlin, Leipzig und anderen Städten zu Tribunalen für die verunsicherten Genossen werden. Und auf den Straßen, wo immer mehr Bürger bei Großdemonstrationen Freiheit und demokratische Reformen einfordern.

Zum Höhepunkt des revolutionären Herbstes wird eine von Künstlern organisierte Kundgebung am 4. November auf dem Ostberliner Alexanderplatz, wo mehr als eine halbe Million Menschen — ohne eine Spur von Gewaltanwendung — dem alten Regime und seinen wenigen Erbverwaltern eine Abfuhr erteilen. Mit Losungen und Parolen, die mit Treffsicherheit und Sprachwitz die Weltöffentlichkeit verblüffen: „Rücktritt ist Fortschritt", „Kein Artenschutz für Wendehälse", „Visafrei bis Hawai" — „Das Volk sind wir, gehen sollt ihr". Und, auf Krenz gemünzt: „Wer einmal lügt, dem glaubt man nicht, auch wenn er jetzt ganz anders spricht." Je selbstbewußter die Bürger ihre Forderungen artikulieren, um so hilfreicher reagieren die in ihrer Autorität angeschlagenen Regenten. Was immer die gewendete SED-Führung ankündigt oder beschließt — die politische Initiative läßt sich damit nicht mehr zurückgewinnen. In einem „Aktionsprogramm" verspricht die Partei die Zulassung der oppositionellen Bürgerbewegungen. Doch da haben sich das „Neue Forum" und andere Gruppen bereits als Motoren der Demokratisierung und als Dialog-Partner der Noch-Mächtigen etabliert.

Am 14. November, fünf Tage nach der Öffnung der Grenzen, fällt offiziell die Pressezensur. Couragierte DDR-Journalisten sind aus eigenem Antrieb freilich längst dabei, die Korruptheit der kommunistischen Führungskader anzuprangern. In einem Gesetz soll die Arbeit der Staatssicherheit eingeschränkt werden. Derweil haben Bürgerkomitees schon die verhaßten Zwingburgen der Stasi gestürmt und viele hauptamtliche Spitzel davongejagt.

Mit seiner Zögerlichkeit und seinem Hang zum Lavieren gerät Krenz immer mehr ins Fadenkreuz parteiinterner Kritik. Für die Hardliner ist er ein naiver Schwächling, der den DDR-Sozialismus an die „Konterrevolution" ausliefert. Die Reformwilligen hingegen beklagen seinen Mangel an Autorität, Ausstrahlung und politischer Gestaltungskraft.

Krenz spürt die Gefahr, möchte sie abwenden. Mit einer schnellen, Beifall heischenden Geste. Anfang November veröffentlichen die Medien den Entwurf eines Reisegesetzes. Doch statt der erhofften Zustimmung hagelt es Proteste. Die versprochene Freizügigkeit hat Pferdefüße: verklausulierte Einspruchsrechte der Behörden und eine schäbig karge Ausstattung mit Zahlungsmitteln. 15 D-Mark pro Person — das erscheint den Menschen als eine Zumutung.

Verschreckt wird der Entwurf zurückgezogen und die Regierung mit der Ausarbeitung einer neuen Fassung beauftragt. Als am 8. November das ZK zusammentritt, ist die veränderte Vorlage fertig. Partei und Ministerrat geben grünes Licht. Am Abend des 9. November teilt Schabowski vor der Presse mit, „ab sofort" könnten die DDR-Bürger problemlos in den Westen reisen — ein Satz, der ungeahnte Konsequenzen hat und diesen Tag zu einem Datum der Weltgeschichte macht.

Die Maueröffnung verschafft Krenz vorübergehend etwas Atemluft. Aber den Vertrauensverfall der regierenden Kommunisten kann auch diese Entscheidung nicht aufhalten. Millionen Menschen drängen in den Westen und werden sich schlagartig und schmerzlich bewußt, was die Obrigkeit ihnen bisher vorenthalten hat. Immer neue Enthüllungen über Amtsmißbrauch und Korruption steigern den Volkszorn. Und die kläglichen Rechtfertigungsversuche der bisher Mächtigen (Stasi-Chef Erich Mielke: „Ich liebe euch doch alle") rufen statt Mitleid nur Zorn und Empörung hervor. Und Rufe nach Rache.

Selbst innerhalb der Partei ist die Erosion nicht mehr zu stoppen. In Scharen verlassen Mitglieder die SED. Enttäuscht und mit dem Gefühl, von ihren Ober-Genossen betrogen worden zu sein. Am 3. Dezember, 48 Tage nach seiner Wahl zum Generalsekretär, wirft Konkursverwalter Krenz das Handtuch. ZK und Politbüro treten geschlossen zurück. „Unsere Zeit war abgelaufen, ohne daß wir es wahrhaben wollten", sagt rückblickend Günter Schabowski. „Wir hatten unseren Zweck erfüllt. Uns brauchte niemand mehr."

Während Krenz noch eine Weile als Staatsoberhaupt amtiert und dann die politische Bühne verläßt, rückt ein anderer Mann immer stärker ins öffentliche Blickfeld: der Dresdner SED-Bezirksvorsitzende und ausgewiesene Reform-Kommunist Hans Modrow.

Eigentlich hätte Modrow, dessen bescheidene Lebensführung auch Nicht-Kommunisten Respekt zollen, gern selbst den Parteivorsitz übernommen. Aber da ist Krenz vor. Das Angebot, unter ihm ein ZK-Sekretariat zu übernehmen, lehnt er ab. Statt dessen entscheidet er sich für das Amt des Ministerpräsidenten, zu dem er am 13. November von der Volkskammer fast einstimmig gewählt wird. Schon vier Tage später präsentiert er sich als Chef einer von 43 auf 27 Ressorts verkleinerten Koalitionsregierung. Die SED hat 16, Christ-, Liberal- und Nationaldemokraten sowie die Bauern stellen insgesamt elf Minister. Lothar de Maizière, der neue CDU-Vorsitzende, im Kabinett zuständig für Kirchenfragen, erhält den Rang eines Vize-Premiers.

Was Modrow in seiner Regierungserklärung vorträgt, klingt für die Bürger ermutigend. Er verspricht mehr Rechtssicherheit, ein Gesetz über freie Wahlen sowie Garantien für Versammlungs-, Vereinigungs- und Pressefreiheit. Vor allem aber eine strenge Abgrenzung und Aufgabentrennung zwischen Partei und Regierung, Parlament und Justiz — kurzum: Gewaltenteilung wie im Westen.

Trotzdem stehen die Chancen für einen Neuanfang schlecht. Die Erblast des bankrotten SED-Regimes ist niederdrückend. Noch immer verlassen Zehntausende das Land Richtung Westen. Bar jeder Hoffnung, die heruntergewirtschaftete Republik könnte aus eigener Kraft gesunden. Die Autorität des Staates zerfällt, Gesetz und Ordnung verlieren ihre disziplinierende Kraft. Die Staatsfinanzen sind zerrüttet, die Betriebe marode und ohne Subventionen nicht am Leben zu erhalten.

Während Millionen DDR-Deutsche in überfüllten Zügen und über verstopfte Straßen nach West-Berlin und ins Bundesgebiet fahren, um sich mit ersparten Devisen und tapfer erstandenem Begrüßungsgeld lange entbehrte Konsumwünsche zu erfüllen, fürchten die Daheimgebliebenen den Ausverkauf. Durchreisende Polen, aber auch Legionen kaufwütiger Bundesbürger nutzen die offene Grenze zu Beutezügen durch HO-Geschäfte, Kaufhäuser und Gaststätten. Ausgestattet mit „schwarz" gewechseltem Geld entdecken sie die Freuden des Billigkaufs.

Am 23. November zieht die Ostberliner Regierung die Notbremse. Zum Schutz der heimischen Wirtschaft dürfen bestimmte Industriewaren, Lebensmittel und Bekleidung nur noch an DDR-Bürger verkauft werden. Wie zu erwarten, erweisen sich die staatlichen Eingriffe als unwirksam. Die Läden werden weiter leergekauft. Der Schwarzhandel blüht wie vorher.

Wieder sind es Künstler und Intellektuelle, die sich auflehnen, sich gegen eine bedrohlich erscheinende Entwicklung stemmen. Gestern noch Wegbereiter des friedlichen Umsturzes, kämpfen sie jetzt für die Bewahrung einer „DDR-Identität" und gegen den „Ausverkauf materieller und moralischer Werte". Mit dem Aufruf „Für unser Land", den sie am 26. November veröffentlichen, wollen sie alle Ostdeutschen ermutigen, die von einem Dritten Weg, einer „solidarischen Gesellschaft" zwischen Realsozialismus und Kapitalismus träumen.

Die Vorstellung, die Masse der Bürger könnte ihnen dabei folgen, erweist sich als trügerische Hoffnungen, als Illusion, der auch nüchterne Geister wie Stefan Heym und Christa Wolf erliegen. Denn mit der Grenzöffnung hat sich auch die Stimmung im Lande verändert. „Wir sind das Volk", haben die Demonstranten im Herbst gerufen und den Mächtigen das Fürchten gelehrt. „Wir sind ein Volk", schallt es nun immer häufiger auf den Straßen. Die nationale Frage, von der SED unter Honecker tabuisiert, bricht sich wie eine Lawine Bahn.

Die regierenden Christdemokraten am Rhein wissen den Stimmungsumschwung der ostdeutschen Landsleute zu nutzen. In der Gewißheit, daß sich eine selbständige DDR weder politisch noch wirtschaftlich auf Dauer behaupten kann, stellt Bonn die Weichen in Richtung Wiedervereinigung. Freilich wird der umstrittene Begriff offiziell vorerst noch vermieden. Auf Modrows Vorschlag, eine „Vertragsgemeinschaft" zu bilden, antwortet Bundeskanzler Helmut Kohl am 28. November im Bundestag mit der Verkündung eines Zehn-Punkte-Programms. Die darin angeregte „Konföderation" solle später einmal in eine „bundesstaatliche Ordnung" in ganz Deutschland münden.

Dem selbstbewußten Anspruch der Bonner Regierung, Inhalt, Richtung und Tempo des vom Volk geforderten Einigungsprozesses zu bestimmen, hat Modrow wenig entgegenzusetzen. Denn mit der offenen Grenze und dem nicht abreißenden Übersiedlerstrom hat die DDR Stück um Stück ihrer Souveränität verloren.

Das Land treibt am Rande der Anarchie. Die Selbstjustiz aufgebrachter Bürger gegen die Unterdrücker von gestern weitet sich aus wie ein Steppenbrand. Ganze Wirtschaftszweige kollabieren. Und eigene erfolgversprechende Sanierungskonzepte hat niemand parat. Am wenigsten kann Modrow auf seine eigene Partei bauen. Denn die ist, wie er selbstkritisch einräumt, drauf und dran „kaputtzugehen".

Zwar gelingt es den Delegierten des außerordentlichen Parteitags am 8. und 9. Dezember in der unwirtlichen Ostberliner Dynamo-Halle, mit Gregor Gysi eine neue Leitfigur an die Spitze zu wählen. Aber die Forderung aus den Reihen undogmatischer Genossen, die Partei aufzulösen und sich mit einem radikalen Schnitt von der stalinisti-

schen Erblast zu befreien, findet keine Mehrheit. Eine solche Entscheidung, warnt der frisch gekürte Vorsitzende, „wäre eine Katastrophe". Als Kompromiß legt sich die Partei den Beinamen PDS zu — Partei des Demokratischen Sozialismus.

Daß die DDR in dieser kritischen Phase nicht im Chaos versinkt, ist auch Verdienst des „Runden Tisches" — eines unter der Obhut der Kirchen öffentlich tagenden Kontroll- und Beratungsgremiums. Am 7. Dezember kommen sie erstmals im Ostberliner Dietrich-Bonhoeffer-Haus zusammen: 43 Vertreter von Parteien, Gruppen und Basis-Bewegungen. Vereint „in tiefer Sorge um unser in eine Krise geratenes Land".

Die noch regierenden Kommunisten und die Repräsentanten der alten Blockparteien haben ebenso ihren Platz wie die neuen Gruppen von Opposition und Bürgerinitiativen. Kein gewähltes Parlament und doch eine Institution von demokratischer Autorität, deren Beschlüsse und Empfehlungen tief in die verunsicherte Gesellschaft wirken. Zudem ein immens fleißiges Gremium, das in rund 160 Sitzungsstunden mehr als hundert Gesetzentwürfe sowie eine „Sozialcharta" und die Vorlage einer neuen Verfassung verabschiedet.

Zumindest am Anfang scheint Premier Hans Modrow die nach-revolutionäre „Tafelrunde" nicht ganz ernst zu nehmen. Er selbst meidet die Versammlung und schickt Regierungsvertreter, die sich mitunter als schlecht vorbereitet erweisen. Ansonsten ist sein Verhältnis zum Runden Tisch eher zwiespältig. Einerseits weiß er sich mit seinen Repräsentanten in dem Bemühen einig, das Land vor dem Ruin zu retten. Andererseits empfindet er manche Beschlüsse als Zumutung oder Brüskierung. Etwa die Forderung nach totaler Zerstörung und Auflösung des Staatssicherheitsdienstes.

Nicht etwa, daß der Regierungschef den alten, aufgeblähten Spitzel- und Unterdrückungs-Apparat von Erich Mielke erhalten möchte. Immerhin hat er veranlaßt, das MfS in Amt für Nationale Sicherheit (NASI) umzuwandeln und personell zu verkleinern. Aber ganz ohne Spionageabwehr, ohne „Verfassungsschutz", so meint er, können auch eine demokratisch regierte DDR nicht auskommen.

Bis Modrow in diesem Punkt einlenkt und auf den Neuaufbau eines Nachrichtendienstes verzichtet, vergehen Wochen. Zeit genug für noch amtierende oder schon entlassene MfS-Kader, Akten zu fälschen, zu vernichten oder beiseite zu schaffen sowie Geld und Materialien zu verschieben oder sonstwie in Sicherheit zu bringen. Weder das von der Regierung eingesetzte Kontrollgremium noch die basisdemokratisch gebildeten Bürgerkomitees zur Stasi-Auflösung erweisen sich als fähig, Manipulationen zu unterbinden. Nicht zuletzt deshalb, weil sie selbst von ehemaligen MfS-Mitarbeitern durchsetzt und unterwandert sind.

Verständlich, daß mehr und mehr Bürger glauben, alte Stasi-Seilschaften arbeiteten im Untergrund weiter und schmiedeten Pläne für ein stalinistisches Roll back. „SED und Stasi-Macht haben noch nicht Schluß gemacht", rufen Demonstranten. Bestärkt werden sie in diesem Argwohn durch ein spektakuläres Vorkommnis um die Jahreswende. Am 28. Dezember werden in Berlin-Treptow an Gedenksteinen des russischen Ehrenmals politische Sudeleien entdeckt. Mit antisowjetischen Parolen wie: „Sprengt das rote Völkergefängnis." Die Folge: Quer durch die Republik geht ein Aufschrei der Empörung.

Auf den ersten Blick ist die Schändung eine Tat von Rechtsradikalen, die sich zwischen Ostsee und Erzgebirge immer ungenierter an die Öffentlichkeit wagen. Oppositionelle Demokraten vom „Neuen Forum" haben freilich einen anderen Verdacht: Nicht Neonazis, sondern Stasi-Angehörige haben die Schmier-Aktion inszeniert, um die Notwendigkeit eines nachrichtendienstlichen Staatsschutzes ins öffentliche Bewußtsein zu hämmern.

Dazu paßt eine von der PDS organisierte Großdemonstration am 3. Januar. Mit dem Slogan „Gegen die Gefahr von rechts" werben die Genossen für eine antifaschistische „Einheitsfront". Obwohl unter den rund 250 000 Teilnehmern sicherlich viele gutgläubige und besorgte Menschen sind, wird aus der Veranstaltung eine „Kampfdemonstration" alten Stils. Redner bürgerlicher Parteien, die nicht in den ritualisierten Einheitschor der „Nazis raus"-Rufer einfallen, werden von der Menge gnadenlos niedergeschrien.

Die zunehmende Radikalisierung der politischen Szene und die dramatisch verschlechterte Wirtschaftslage veranlassen Modrow, seinen Kurs gegenüber der Opposition zu überdenken. Hat er sich vor kurzem noch selbstbewußt verbeten, von ihren Vertretern an den Runden Tisch zitiert zu werden, so sucht er nun den Schulterschluß: „Anders als in einer breiten Verantwortung kann die DDR jetzt nicht mehr regiert werden."

Der Appell stößt nicht gerade auf einhellige Zustimmung. Das damals so festgefügte Oppositionsbündnis zeigt tiefe Risse. Während die Bürgerrechtsbewegungen „Neues Forum" und „Demokratie jetzt" vom Eintritt in die Regierung eine Chance zur Profilierung erhoffen, melden Sozialdemokraten und der zur Partei gemauserte „Demokratische Aufbruch" Bedenken an. Die Unterstützung Modrows, so ihr Kalkül, könnte von empfindlichen Wählern mißverstanden und auf dem Stimmzettel negativ quittiert werden.

Gleichwohl, nach mehrtägigem Tauziehen rauft man sich zu einem Kompromiß zusammen. Am 5.

Februar werden acht Oppositionspolitiker, unter ihnen Pfarrer Rainer Eppelmann und der Kirchenlehrer Wolfgang Ullmann, als Minister ohne Geschäftsbereich vereidigt.

Mit seinem letzten Aufgebot einer deutsch-demokratischen Notstands-Regierung reist Modrow am 13. Februar nach Bonn. Mit der festen Absicht, die von Kohl im Dezember versprochene Finanz-Hilfe einzufordern. Eine wichtige Vorleistung hat der PDS-Premier bereits erbracht. Als Ziel eines von ihm vorgelegten Vier-Stufen-Plans steht „die Bildung eines einheitlichen deutschen Staates". Modrows Bedingung: Die Vereinigung „darf durch niemanden als Bedrohung empfunden werden".

Doch die Preisgabe des Anspruchs auf Eigenstaatlichkeit nützt dem Premierminister wenig. Arrogant läßt der Kanzler seinen Amtskollegen abblitzen. Statt mit dem erwarteten Solidarbeitrag in Milliarden-Höhe kehrt Modrow mit leeren Händen zurück. Bestärkt in dem niederschmetternden Verdacht, daß die machtbewußten Christdemokraten nichts anderes im Sinne haben, als den Preis der Vereinigung zu Lasten der ostdeutschen Gesellschaft zu drücken. Modrows bitteres Resümee: „Bei mir ist nationales Denken ausgeprägter als bei Kohl. Der denkt nur an Wahlen."

Tatsächlich bestimmt die vom 6. Mai auf den 18. März vorgezogene erste freie Wahl zur Volkskammer immer stärker die Strategien der Bonner Parteien. Schon seit Jahresbeginn hat sich die politische Landschaft der DDR verändert. Die alten und die neuen Parteien übernehmen mehr und mehr Strukturen und Programme ihrer westdeutschen Schwester-Organisationen.

Obwohl sich der Runde Tisch gegen eine Wahlkampf-Unterstützung aus der Bundesrepublik ausspricht, scheren sich die Profis aus den Bonner Partei-Zentralen um dieses Votum nicht im geringsten. So, als ginge es um ihre eigene politische Zukunft, überschwemmen sie die DDR mit Wahlplakaten und Werbeschriften, schicken Helfer und technische Geräte und organisieren Tourneen ihrer Polit-Stars. Helmut Kohl, Willy Brandt, Hans-Dietrich Genscher — das sind die Zugpferde, die Säle und Marktplätze füllen. Die heimischen Amateur-Politiker wie Ibrahim Böhme oder Lothar de Maizière stehen nur in der zweiten Reihe.

Schon vor dem 18. März, der Kohl und den Konservativen einen triumphalen Sieg beschert, ist Regierungschef Modrow als Verlierer abgestempelt. Sein Ziel, breites Vertrauen in der eigenen Bevölkerung zu finden, hat er verfehlt. Der Versuch, die Souveränität der DDR zu erhalten, ist gescheitert. Der Zug zur deutschen Einheit rollt. Das Tempo bestimmt der Fahrdienstleiter Kohl. Was Modrow öffentlich sagt, zählt in Bonn nicht mehr. Es sei „nicht so wesentlich", befindet der Kanzler.

Sie wollen raus – aber auch wieder hinein

Nach einem Friedensgottesdienst in der Leipziger Nikolaikirche, einer Keimzelle des Widerstands gegen die SED-Diktatur, schließen sich am 4. September 1989 spontan mehrere hundert Menschen zu einer Demonstration zusammen. Sie wollen reisen dürfen, wann und wohin sie wollen – ohne vorher einen Antrag stellen zu müssen – und nicht nur in die anderen Ostblock-Staaten. Die Bilder des Westfernsehens haben die Demonstranten ermuntert: die Berichte über immer mehr DDR-Bürger, die in die bundesdeutschen Botschaften von Budapest, Prag und Warschau geflüchtet sind. Die geschlossenen Grenzen zum Westen, der Schießbefehl und der Straftatbestand „Republikflucht" sind die Lunte am Pulverfaß DDR, und sie beginnt zu glimmen. Aber noch funktioniert der Unterdrückungsapparat: Innerhalb weniger Minuten beenden Polizei und Staatssicherheit den Protestmarsch.

14

Ungebetene Gäste auf der Geburtstagsfeier

Erst können die Volkspolizisten es gar nicht glauben: daß es tatsächlich Landsleute gibt, die nicht in den Jubelchor zum 40. Geburtstag des Arbeiter- und Bauernstaates am 7. Oktober einstimmen wollen. Völlig unvorbereitet ist die Staatsmacht auf die Demonstration, die sich eher zufällig am Rande des Volksfestes auf dem Alexanderplatz gebildet hat. Es ist die größte seit dem Arbeiteraufstand vom 17. Juni 1953. Erst kurz vor dem Palast der Republik wird sie von einer eilig zusammengerufenen Polizeikette aufgehalten. „Gorbi, hilf uns!" rufen die Protestierer und hoffen auf den sowjetischen Generalsekretär, der nicht weit entfernt mit den Kollegen der anderen kommunistischen Parteien speist. Von ihm stammt der berühmte Satz „Wer zu spät kommt, den bestraft das Leben", aber für Erich Honecker und Genossen ist es längst zu spät. Die hatten am Vorabend eine Truppe von hunderttausend FDJlern an sich vorbeiparadieren lassen und sie für das Volk gehalten. Als das Volk dann wirklich zur Geburtstagsfeier kommt, wird es nach der ersten Überraschung mit Knüppeln wieder vertrieben. Der letzte Akt der SED-Herrschaft ist eingeläutet.

Der Thronfolger wird zum Hofnarren

Gerade zwei Wochen ist Egon Krenz als Nachfolger von Erich Honecker im Amt, Reformen hat er angekündigt, aber die Demonstranten des 4. November haben ihr Urteil über den neuen SED-Generalsekretär schon gesprochen: Ein Wendehals ist er, einer, der den Bonzen die Pfründen sichern soll. Die DDR-Bürger kennen Egon Krenz zu gut. Er war Chef des Zentralrats der FDJ, treuer Vasall Honeckers im Politbüro, vor allem aber hat er dem Pekinger Regime zum Gemetzel auf dem Platz des Himmlischen Friedens gratuliert, zur Niederschlagung der Demokratiebewegung in China. So einer soll die Wende bringen? Um die Demokratisierung einzufordern, haben Künstler zur Massenkundgebung auf dem Ostberliner Alexanderplatz aufgerufen, mit fast einer Million Teilnehmern ist sie die bisher größte in der Geschichte der DDR. Stefan Heym beschreibt die unglaubliche Wandlung der Stimmung im Land: „Es ist, als habe einer die Fenster aufgestoßen, nach Jahren der geistigen, wirtschaftlichen und politischen Stagnation, nach Dumpfheit und Mief, Phrasengewäsch, bürokratischer Willkür und Blindheit."

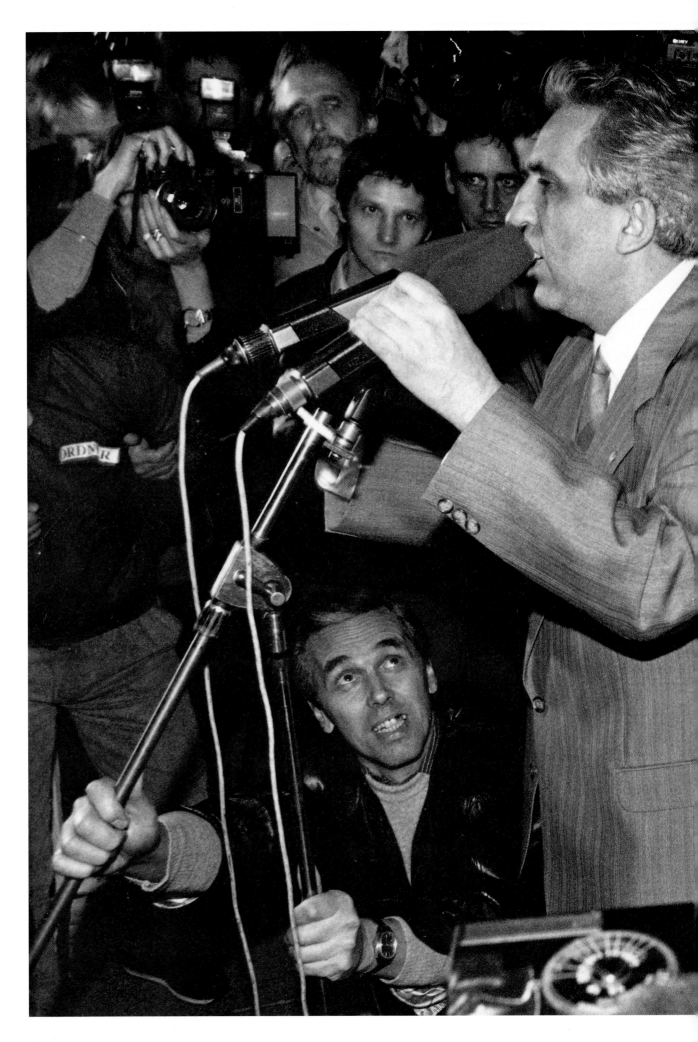

Den Machthabern geht es an den Kragen

Den Herren von der SED, allen voran Egon Krenz und Günther Schabowski, wird es zunehmend ungemütlich in ihrer Haut. Am Nachmittag des 8. November haben Tausende von Demonstranten vor dem Gebäude des Zentralkomitees einen außerordentlichen Parteitag gefordert. Drinnen ist das alte Politbüro zurückgetreten, ein neues gewählt worden. Auf einer Kundgebung am Abend informiert Schabowski die Demonstranten über die Neuwahl. Während einer Sitzungspause ergreift Krenz das Mikrophon und kündigt für die nächsten Tage konkrete Taten an. Aber die Situation ist längst seiner Kontrolle entglitten. Wie sagt später Hermann von Berg, ehemaliger Berater der DDR-Regierung: „Krenz und Schabowski waren nicht die hellsten Köpfe."

Wende-hälse, Blockflöten und ein paar Zaungäste

Der freundliche Blick von Manfred Gerlach — zugleich Vorsitzender des Staatsrates und der LDPD — täuscht. Die alten Blockparteien, im Volksmund „Blockflöten" genannt, sind in der Defensive, als am 7. Dezember zum ersten Mal der Runde Tisch an einer viereckigen Tafel zusammenkommt. Nach ungarischem und polnischem Vorbild treffen sich die Vertreter der alten Parteien und der Oppositionsbewegungen, um aus der DDR einen demokratischen Staat zu machen. Auflösung der Stasi, ein neues Wahlgesetz, eine neue Verfassung stehen auf dem Programm des Runden Tisches, und noch hoffen die Oppositionsbewegungen, eine neue DDR mitgestalten zu können. Eine trügerische Hoffnung. Schon bald zeigt sich, daß das Volk überhaupt keine DDR mehr will. Die bittere Bilanz des Runden Tisches: Sie verlängert die Herrschaft der SED, später SED-PDS, um einige Monate. Und während sich die gewendete Blockpartei CDU schon auf die Machtübernahme vorbereitet, bleibt die Opposition nur Zaungast.

Zwei listige Genossen planen den geordneten Rückzug

Hans Modrow und Gregor Gysi wissen natürlich, daß es die pure Not der SED-Genossen war, die sie in ihre Ämter gebracht hat. Schadensbegrenzung ist das Motto der Stunde. Modrow, Minister-präsident seit dem 13. November, versucht, den Zusammenbruch des Staates zu bremsen. Gysi macht sich als frischgewählter Parteichef daran, die demoralisierten Mitglieder bei der Stange zu halten. Der außerordentliche Parteitag an den Wochenenden des 9. und 16. Dezember bringt das ganze Ausmaß der Ratlosigkeit an den Tag. Korruption, Vetternwirtschaft, Stasi-Bespitzelung — nicht wenige der 2800 Delegierten tun so, als hätten sie erst jetzt davon erfahren. Andere fordern die Auflösung der Partei und den radikalen Neubeginn. Modrow und Gysi lavieren zwischen Fronten, verstehen sich meisterhaft auf das Spiel des Sowohl-als-auch. Aber während Modrows Regierungszeit nur ein Intermezzo auf dem Weg zur deutschen Einheit bleibt, kann Gysi seine Partei ins vereinte Deutschland retten. Es hat sich gelohnt: Zusammen mit Modrow sitzt er zumindest für vier Jahre im Bundestag.

Das Volk stürmt die verhaßte Zwingburg

Am 15. Januar eskaliert der Protest gegen die Weiterarbeit der Stasi-Spitzel unter dem Namen „Amt für Nationale Sicherheit", das Zentralgebäude in der Normannenstraße wird gestürmt. „Ich liebe euch doch alle", der letzte öffentliche Ausspruch von Stasi-Minister Erich Mielke, steht auf dem Transparent, eine gehenkte Puppe von Mielke daran. Die Ostberliner Stasi-Zentrale ist die letzte, die besetzt wird, zu tief hat die Angst gesteckt, das Trauma der Verhöre, die hier stattfanden. Mehrere tausend Demonstranten bahnen sich den Weg durch das meistgehaßte Gebäude der DDR, wühlen sich durch Aktenberge und verwüsten eine Reihe von Büros und Lagern. Das „Neue Forum" distanziert sich später von der Gewalt. Und dann werden Vermutungen laut, daß die Stasi selbst die Erstürmung provoziert hat: um von einem geheimen Gefängnis abzulenken.

Der Beginn einer Odyssee

Gezeichnet von schwerer Krankheit verläßt Erich Honecker am 29. Januar1990 mit seiner Frau Margot das Ostberliner Krankenhaus „Charité", wo ihm ein bösartiger Nierentumor entfernt worden ist. Aber wohin soll er jetzt, der Mann, der bis vor vier Monaten der mächtigste Mann der DDR gewesen ist und jetzt allen Haß seiner einstigen Untertanen auf sich vereinigt? Ein Pfarrer aus Lobetal ist es, der das Ehepaar Honecker in seiner Privatwohnung aufnimmt. Kein Linientreuer: Seine Kinder wurden trotz bester Noten nicht auf die Oberschule gelassen. Als Honecker nach zwei Monaten in Lobetal dann in ein Gästehaus der DDR-Regierung gebracht werden soll, kocht dort die Volksseele über. Fluchtartig muß Honecker wieder umkehren. Die Odyssee des gestürzten Machthabers findet ihr vorläufiges Ende erst Wochen später, als die Sowjet-Armee Honecker in einem ihrer Hospitale aufnimmt.

Der Bundeskanzler wird zum Einheitskanzler

So ist Helmut Kohl noch nie umjubelt worden. Fast acht Jahre Bundeskanzler mußte er sein, bis er in Dresden wie der Retter in großer Not empfangen wird. Später wird Kohl diesen Tag als einen der schönsten in seinem Leben bezeichnen. Hier entschließt er sich, die deutsche Einigung voranzutreiben. Der 19. Dezember 1989 markiert einen der Wendepunkte der deutschen Geschichte: Die Revolution kippt um. Haben die Montagsdemonstrierer bisher gerufen „Wir sind das Volk", rufen sie jetzt „Wir sind ein Volk" — und: „Deutschland, einig Vaterland." Für immer mehr Menschen in der DDR hat ihr Staat seine Existenzberechtigung verloren, sie wollen die D-Mark, sie wollen eine größere Bundesrepublik, und sie wollen: Helmut Kohl.

Ein Grabstein der Freiheit

Die Sprache verrät den Geist: volltönende Phrasen, für die Ewigkeit in Stein gehauen. Gerade die Sinnsprüche von Marx, Engels und Lenin, die allüberall das Bild der DDR prägten, entlarven das Wesen des Staates. Erhöhung der Arbeitsproduktivität, Erfüllung des Plans, Heldentum der Arbeit, Kampf gegen den imperialistischen Klassenfeind — gebetsmühlenhaft leierten die Apparatschiks immer dieselben Formeln daher. Jeden Tag im Betrieb, jeden Abend in den Nachrichten verkündeten sie die eine Botschaft: daß das Kollektiv alles, der Einzelne nichts sei. Den gestelzten Sätzen fehlte die Farbe, die Individualität und vor allem — die Menschlichkeit. Ein Staat hatte sich in seiner Sprache eingemauert.

DER KOMMUNISMUS BEGINNT DO
WO EINFACHE ARBEITER IN SELBSTLOSER WEISE
HARTE ARBEIT BEWÄLTIGEND, SICH SORGEN
UM DIE
DER ARBEITSPRODUK
LENIN

Ein Tatort verliert seinen Schrecken

Mauer und Grenze fallen

Von Winfried Maaß

Vom Flugzeug aus erschien mir die innerdeutsche Grenze zwischen der Ostseehalbinsel Priwall und der bayrischen Stadt Hof immer wie die 1393 Kilometer lange Wunde eines ungeheuren Peitschenhiebes, mit dem die Geschichte die Deutschen für nationalsozialistische Verbrechen gestraft hat. Gleich braunem Schorf zeichnete sich der mit Herbiziden abgetötete Grenzstreifen aus dem Grün seiner Umgebung ab. Und das helle Grau von Bunkerbauten erinnerte an Eiterherde.

Das Gift der Pflanzenvernichtungsmittel wird noch lange im Boden bleiben, aber da es nicht mehr erneuert wird, läßt seine Wirkung langsam nach. Schon erobern sich widerstandsfähige Gräser und Moose das Terrain, während umgekehrt Straßen, die jahrzehntlang überwachsen waren, wieder freigelegt sind für den anschwellenden Verkehr von Ost nach West und West nach Ost. Auch an der zuletzt wie für einen Stellungskrieg ausgebauten innerdeutschen Trennungslinie wächst nun, um das Wort Willy Brandts aufzugreifen, wieder zusammen, was zusammen gehört.

Das unaufhaltsame Ende der innerdeutschen Grenze und der Berliner Mauer wurde am 9. November 1989 gegen 19 Uhr mit der überraschenden Bekanntgabe der Reisefreiheit für alle DDR-Bürger durch das damalige SED-Politbüromitglied Günter Schabowski eingeläutet. Noch in der Nacht zum 10. November bahnten sich mehrere Tausende DDR-Bürger ohne das eigentlich vorgesehene Visum im Paß ihren Weg durch die Sperranlagen. Es war der Beginn einer modernen Völkerwanderung.

Schon ein halbes Jahr vor der offiziellen Vereinigung der beiden deutschen Staaten am 3. Oktober 1990 hatte die innerdeutsche Grenze aufgehört, eine zu sein. Neben den offiziellen Grenzübergangsstellen trampelte sich das DDR-Volk ungehindert inoffizielle Wege in den Westen — quer über Todesstreifen und Sperrgitter hinweg nach Schleswig-Holstein, Niedersachsen, Hessen und Bayern. Nur

an acht Stellen der Grenze hatte die einstige DDR-Regierung nach dem mit Bonn geschlossenen Transitabkommen einen — scharf kontrollierten — Verkehr von Deutschland nach Deutschland geduldet. Heute donnert der immer beängstigender anschwellende Autoverkehr auf 90 durchgehenden Landes- und Bundesstraßen und ungezählten Nebenstraßen über die aufgehobene Grenze hinweg.

Längst auch ist der alte Streit um den genauen Verlauf der Elbegrenze zwischen Niedersachsen und Mecklenburg-Vorpommern zu den Akten gelegt. Die Bundesrepublik hatte jahrzehntelang auf einen Verlauf am Ostufer der Elbe gepocht, die DDR dagegen wollte die Grenze in die Strommitte verlegt wissen. Jetzt ist die Elbe am Westufer bundesdeutsch, in der Strommitte bundesdeutsch und am Ostufer bundesdeutsch. Fünf Fähren, von denen einige vom Rhein an die Elbe geschafft wurden, überqueren in regelmäßigen Abständen den an windstillen Tagen arg nach Chemikalien stinkenden Fluß.

Mit dem Ende der Grenze hat auch der Dömitzer Elbbrücke die letzte Stunde geschlagen, deren Mittelteil bei Kriegsende von amerikanischen Kampfflugzeugen weggebombt worden war. Ihre rostenden Überreste sollten eigentlich mit viel finanziellem Aufwand als Mahnmal erhalten bleiben. Doch seit dem November 1990 wird sie nun als nicht mehr rekonstruierbar abgebaut. Anstelle des Mahnmals entsteht bis 1993 bei Dömitz eine neue Brücke, die dann den Fährverkehr entlasten wird.

Während einerseits das Verschwinden der deutsch-deutschen Grenze als Ende des Kalten Krieges gefeiert wird, sehen andererseits viele Bewohner in den Ortschaften des Grenzraumes durch die deutsche Einheit ihren Frieden gestört. Die grüne Idylle einstiger Sackgassen ist durch den plötzlich wieder möglichen Durchgangsverkehr zu einer stinkenden Lärmhölle verkommen. In manchen Orten der freigegebenen Sperrzone hat sich der Verkehr verhundertfacht — etwa in Ellrich am

Südharz, durch dessen Altstadt nun plötzlich jeden Tag an die 13 000 Personenautos, 1 300 Lastwagen und an die 400 Motorräder dröhnen.

Jahrzehntelang lief jeder, der sich auch nur in Grenznähe wagte, Gefahr, auf eine Mine zu treten, einen Schießautomaten auszulösen oder auf herkömmlichere Art mit einer Handfeuerwaffe erschossen zu werden. Nun droht der Tod durch Überfahrenwerden, etwa auf der Durchgangsstraße des ehemaligen Grenzortes Schlutup bei Lübeck oder auf der Bundesstraße 243 in Südniedersachsen, an deren Rändern eine Bürgerinitiative gequälter Grenzlandbewohner Plakate mit der Aufschrift geklebt hat: „Hier verläuft der neue Todesstreifen".

Auch Naturfreunde machen sich Sorgen. Denn die schöne politische Entwicklung wirkt sich zunehmend negativ auf jene paradiesischen Biotope aus, in denen entlang der alten Grenze viele Tiere und Pflanzen überdauerten, für die es anderswo längst keinen Lebensraum mehr gibt. Ob Kraniche oder Kreuzkröten, Flußperlmuscheln oder Sternmoos — sie alle sind im einstigen Niemandsland nun von Massenverkehr, Massentourismus und näherrückender landwirtschaftlicher Nutzung bedroht.

Nördlich von Lübeck ist das Tierleben des Dassower Sees in Gefahr, den Biologen als „Feuchtgebiet von internationaler Bedeutung" einstufen. Der bis auf seinen schmalen Abfluß in die Trave jahrzehntelang fast vollständig von DDR-Grenzsicherungsanlagen umgebene See, auf dem im Sommer bis zu 34 000 Schwimmvögel gleichzeitig gezählt wurden, ist jetzt von allen Seiten leicht zugänglich. Uferwanderer und Kanufahrer stören Nistplätze und verschrecken Niederwild.

Nordöstlich von Wolfsburg breitet sich zu beiden Seiten der ehemaligen Grenze der Drömling aus, ein 250 Quadratkilometer großes Naturschutzgebiet mit Auenwäldern, Birkenmooren, Sümpfen, Weiden und Wiesen. Biologen zählten in dem urtümlichen Feuchtgebiet 235 verschiedene Arten bedrohter Pflanzen, Vögel, Lurche, Fische, Libellen und Schmetterlinge. Schon vor der Vereinigung waren Flora und Fauna des Drömling durch einen sinkenden Wasserstand gefährdet — die Folge von Flußregulierungen und des zunehmenden Abzapfens von Trink- und Industriewasser. Viele Pflanzen und Tiere verlören ihren Lebensraum, wenn ihnen nun noch mehr Wasser abgegraben würde, warnen die Naturschützer.

In Hessen fürchten Hobby-Ornithologen um die letzten Störche, die sich mit Vorliebe im Grenzland ihre Frösche suchten. Und im bayrischen Landkreis Coburg machen sie sich Sorgen um die rar gewordenen Braunkehlchen. Die kleinen Vögel nisten zu 90 Prozent entlang des einstigen Todesstreifens, wo sie sich ungestört fühlten, solange die Grenze bestand. Auch Rauhfußkäuze sind nach Aussagen von Naturschützern an der sächsisch-bayrischen Landesgrenze vom Aussterben bedroht, wenn es nicht gelingt, ihre Nistplätze vor den vielen gesamtdeutschen Wanderern geheimzuhalten.

Findige Landespolitiker denken inzwischen daran, arbeitslos gewordene Grenzwächter in ihren alten Revieren als Umweltschützer einzusetzen. Die Umwandlung der gefürchteten Sperrzone in eine geschützte Grünzone hatte schon Jahre vor dem Mauerfall der Ostberliner Liedermacher Stephan Krawczyk vorausgesehen, als er sang: „Wenn die Jungs vom Schießkommando/ökologisch Wache steh'n/wird die Mauer wie Dornröschen/in 'ner Hecke untergeh'n."

Im Gegensatz zu den auf der Roten Liste als gefährdet verzeichneten Pflanzen und Tieren nimmt die Zahl der Menschen im Grenzland zwischen alten und neuen Bundesländern extrem zu — zumindest während der Ladenzeiten. Bis zur Wiedervereinigung eher beschaulich dahindämmernde Orte wie Lübeck oder Hof, verwandeln sich durch den Zustrom munterer Ossis in drangvolle Einkaufszonen. Das ganze Jahr über klingeln im Grenzland, das keines mehr ist, Registrierkassen wie früher allenfalls zur Weihnachtszeit.

Viele neue Bundesbürger decken sich an der alten Grenze inzwischen auch kostenlos ein — mit nichtrostendem Drahtgeflecht der Metallgitterzäune, die einst DDR-Bautrupps entlang des Todesstreifens und mitunter auch quer durch Dörfer wie Mödlareuth in Oberfranken zogen. Noch bevor DDR-Grenztruppen im Frühjahr 1990 den Befehl zum Abbau der Sperren erhielten, hatten DDR-Zivilisten schon privat mit dem Abmontieren begonnen. Der Schwedenstahl der Sichtblenden, für den die alte DDR-Regierung pro Meter 90 Mark in westlicher Währung gezahlt haben soll, dient jetzt zur wetterbeständigen Umfriedung von Gemüsegärten und Tiergehegen.

Auch andere Teile der Grenzbefestigungen wurden sinnvollem Nutzen zugeführt. So werden in der Grafschaft Lauenburg Betonplatten der einstigen Kolonnenwege der DDR-Grenztruppen zur Befestigung morastiger Feldwege und Zufahrten zu Seeufern genutzt. Auch bei der Anlage von Garagen, Gartenlauben und Hundezwingern griff mancher Ossi auf die alte Grenze als Baustofflager zurück. Nur für die vielen nun unbenutzten Wachtürme hat sich noch kein Liebhaber gefunden. Auch blieben die meisten Betonpfähle, an denen das Metallgitter befestigt war, entlang der alten Grenzlinie stehen, so daß es aussieht, also sollte dort nun 1393 Kilometer lang Wäsche zum Trocknen aufgehängt werden.

Am perfektesten gelangen Wiederverwendung

und Vermarktung von Grenzbefestigungen den Berlinern. Von den Mauern und Sperren um West-Berlin, die aus der Flugzeugperspektive mit ihrer ebenfalls durch Pflanzenvernichtungsmittel erzeugten braunen Todesspur wie ein riesiges rundes Brandmal wirkten, sind nur noch wenige Überreste vorhanden. Schon gleich nach der Maueröffnung in der Nacht zum 10. November 1989 hatten Andenkenjäger damit begonnen, mehr oder minder große Brocken aus der im Westen bunt bemalten Mauer zu schlagen. Im Herzen der Stadt zwischen Reichstag und Potsdamer Platz sah die Mauer dank der „Mauerspechte" bald aus wie ein steinerner Schweizer Käse. Noch bevor man die Mauer bei Berlinbesuchen zu sehen bekam, konnte man schon hören, wie sie langsam verschwand.

Es war nicht wenig, was da wegzuräumen war. Seit Walter Ulbricht am 13. August 1961 den Befehl zum Bau der Mauer gegeben hatte, um den Flüchtlingsstrom aus der DDR zu stoppen, entstand rings um West-Berlin ein Bollwerk brutaler Häßlichkeit: eine 166 Kilometer lange und wenigstens 200 Meter breite Bastion aus Betonmauern und Metallgitterzäunen, 295 Beobachtungstürmen, 43 Erdbunkern sowie ungezählten Panzersperren, Hundelaufanlagen, Fallgruben, elektronischen Alarmanlagen, Stolperdrähten und Blendscheinwerfern.

Alles das ist inzwischen nahezu vollständig abgebaut. Nicht weniger als 310 000 Tonnen Betonmasse der Berliner Mauer wurden 1990 innerhalb weniger Monate von 300 DDR-Grenzern a.D. und 600 Bundeswehrpionieren mit Hilfe von 175 Lastkraftwagen, 90 Kippfahrzeugen, 65 Kränen, 55 Baggern, 24 Schwenkladern und 13 Planierraupen fortgeräumt. Zerschlagen und zerbröselt dient nun die Berliner Mauer als Straßenschotter. Und der wird in großen Mengen gebraucht zur Wiederherstellung der alten Verkehrsverbindungen zwischen West-Berlin und dem Osten der Stadt und dem Umland.

Nur an wenigen Stellen will der Senat von Berlin Mauerreste als Mahnmal stehen lassen. Bleiben soll so ein Stück Mauer an der Bernauer Straße, die im August 1961 traurige Berühmtheit erlangte. Die fünfgeschossigen Wohnhäuser der einen Straßenseite gehörten zu Ost-Berlin, die der anderen zum Westen. Als nach Ulbrichts Mauerbau-Befehl Handwerker unter Bewachung von Volkspolizisten damit begannen, Türen und Fenster der Osthäuser zuzumauern, versuchten Bewohner der oberen Stockwerke noch schnell zu fliehen. Sie sprangen in Sprungtücher, die Westberliner Feuerwehrleute unten aufgespannt hatten. Fernsehen und Filmwochenschauen verbreiteten die dramatischen Fluchtbilder um die ganze Welt.

Auch an dem zum Ostteil der Stadt gehörenden Invalidenfriedhof soll die Mauer als Mahnmal erhalten bleiben. Hier ließen preußische Könige und deutsche Kaiser viele hohe Offiziere zu Grabe tragen.

Eines der schönsten Grabmäler erinnert an General Gerhard von Scharnhorst, der 1813 im Kampf gegen Napoleons Truppen tödlich verwundet wurde. Über seinem Sarkophag liegt auf einem Marmorsockel ein schlafender Löwe, der nach den Freiheitskriegen aus dem Eisen alter Kanonen gegossen wurde. Die von Karl Friedrich von Schinkel entworfene Skulptur verkörpert die in den Freiheitskriegen entstandene Sehnsucht nach einem einigen und zugleich starken und friedlichen Deutschland an Stelle eines Flickenteppichs deutscher Kleinstaaten.

Sehnsüchte neueren Datums drücken die vielen Mauersprüche aus, die zusammen mit knallbunten Sprühbildern auf die Berliner Mauer gemalt wurden. Nahe dem Brandenburger Tor hatte jemand auf den Beton gepinselt: „Auf die Dauer hält keine Mauer". Im Herbst 1989 häuften sich an der Mauer dann auch nationale Parolen wie „Deutschland einig Vaterland". Und in Berlin-Treptow war bis zum Abriß auf Grenzbeton auch eine Gedichtzeile von Erich Fried zu lesen: „Wer will, daß die Welt so bleibt, wie sie ist, will nicht, daß sie bleibt."

Am Ende ihres Daseins war die Berliner Mauer das wohl größte Kunstwerk der Welt. Kilometerweit zogen sich an ihr gesprühte und gemalte Bildnisse von Künstlern aus allen Erdteilen hin. Alle modernen Stilrichtungen waren auf dieser steinernen Bildergalerie vertreten, insbesondere aber die knallbunte Wut der sogenannten Neuen Wilden und Strichmännchen in der Art des amerikanischen Pop-Künstlers Keith Haring, der sich vor seinem Tod auch persönlich an der Mauer verewigt hatte.

Rund 500 Mauersegmente mit besonders eindrucksvoller Bemalung sind dazu ausersehen, den Abriß des „besten Grenzsicherungssystems der Welt" zu überleben, wie der DDR-General Heinz Hoffmann den Sperrbeton einst nannte. Sie wurden oder werden an Liebhaber verkauft. Die Preise für die 3,60 Meter hohen, 1,20 Meter breiten und 2,6 Tonnen schweren Mauerstücke aus DDR-Stahlbeton B 450 richten sich nach der Art der Bemalung und der Nachfrage.

Die französische Cognac-Königin Ljiljiana Hennessy erwarb bei einer Versteigerung in Monaco ein Segment für 170 000 Französische Franc. 377 000 Franc blätterte der Schweizer Geschäftsmann Pascal Märki für zwei Mauerteile hin, die nebeneinandergestellt ein großes Herz mit zwei Augen zeigen. Der Bäcker und Konditor Thomas Steffen aus Waldshut-Tiengen am Oberrhein beschenkte sich zu seinem 60. Geburtstag mit zwei Mauerstücken zum Gesamtpreise von 80 000

Mark. Ganz umsonst kam Papst Johannes Paul II. zu einer Berliner Mauermalerei. Das Betonbild, auf dem Blitze auf eine Mauer niederfahren, wurde dem Vatikan vom Magistrat Ost-Berlins zum Geschenk gemacht und ziert nun eine Ecke der vatikanischen Gärten.

Die letzte DDR-Regierung hatte mit der Vermarktung der Mauerkunst ursprünglich die Ostberliner Staatshandelsfirma Limex-Bau-Export-Import beauftragt. Der Reinerlös sollte dem siechen DDR-Gesundheitswesen zufließen, etwa in Form von Einwegspritzen, Infusionsgeräten und Medikamenten. Inzwischen liegt der Mauerbrockenvertrieb in den Händen der Westberliner Firma „Lelé Berlin Wall Verkaufs GmbH". Sie gibt vollständige Segmente auf Versteigerungen zum Höchstgebot ab, bringt aber für Leute mit kleinem Geldbeutel auch kleinere Mauerbrocken zu 25 bis 595 Mark das Stück auf den Markt.

Eine britische Firma namens „Duodesign", deren Vertreter eigenhändig Brösel aus der Berliner Mauer schlugen, bietet ihre Mauerstücke zusammen mit zwei Zentimeter Stacheldraht in London für 35 Pfund als Briefbeschwerer an — alles gegossen in Acryl. Und natürlich haben auch amerikanische Warenhäuser wie Hecht's in Washington „Berlin Wall" auf Lager. Schon für zehn Dollar gibt es rund 30 Gramm DDR-Grenzbeton in einem Velourssäckchen aus Taiwan.

So lebt der sogenannte „antifaschistische Schutzwall", den sich in all seiner Brutalität auch Faschisten selbst hätten ausdenken können, zerstückelt fort — als Schrankwand-Zierde in Mauerspecht-Wohnungen, als Edelkitsch in den Dielen von Millionärsvillen, als Staatsgeschenk in den Speichern von Präsidentenresidenzen oder auch als moderne Kunst in japanischen Museen.

Uns Deutschen bleiben von Mauer und innerdeutschen Grenzbefestigungen auch so Erinnerungen genug — in Form von Totenmalen für die über 200 Menschen, die beim Versuch, von Deutschland nach Deutschland zu gelangen, auf Minen traten, von Schußautomaten durchlöchert oder von Grenzwächtern abgeschossen wurden wie Hasen.

Immer wieder stößt man bei Spaziergängen und Fahrten entlang der einstigen Grenzlinien auf die Tatorte deutscher Verbrechen. Beim niedersächsischen Dorf Zicherie erinnert ein Holzkreuz zwischen zwei Birken an den Tod des Dortmunder Zeitungsreporters Kurt Lichtenstein. Er wurde 1961 von einer DDR-Streife erschossen, weil er sich auf ostdeutsches Gebiet vorgewagt hatte, um die Arbeiter einer landwirtschaftlichen Produktionsgenossenschaft zu interviewen.

„Als Deutscher von Deutschen erschossen" steht auf dem Kreuz. Nicht darauf steht, daß Kurt Lichtenstein im Hitler-Staat im KZ saß, weil er Kommunist war. Und daß er im Adenauer-Staat als Verfassungsfeind galt, weil er bis 1950 weiter der KPD angehörte, ehe er aus Protest gegen den DDR-Kommunismus Sozialdemokrat wurde. Ein deutsches Schicksal. Ein deutscher Tod.

Ebenfalls ein Kreuz hält bei Bröthen in Schleswig-Holstein das Gedenken an den 32jährigen DDR-Flüchtling Michael Gartenschläger wach, der 1976 wenige Meter von dieser Stelle entfernt erschossen wurde, als er zum drittenmal einen SM-70-Selbstschußautomaten vom Grenzgitter abmontierte. Und bei Spechtsbrunn am Frankenwald wird eines DDR-Soldaten gedacht, von dem man im Westen nur den Vornamen Harry kannte. Am 21. Mai 1973 verlegte Harry hier am Todesstreifen Minen. Eine ging hoch und zerfetzte ihn. In Sichtweite der Unglücksstelle stellten damals bayerische Zöllner ein Holzkreuz auf.

Enger beieinander stehen die Totenmale in Berlin, wo 78 Menschen bei Fluchtversuchen an der Mauer ums Leben kamen. Ein mit Stacheldraht umwundenes Kreuz dient dem Gedenken an den 18jährigen Peter Fechter, der 1962 bei der Flucht aus Ost-Berlin von DDR-Grenzern angeschossen und im Sperrgürtel liegengelassen wurde, bis er verblutet war. Auf einem von mehreren weißen Kreuzen an der Bernauer Straße steht der Name Ina Siekmann. Als im August 1961 Volkspolizei in ihr Haus an der Ostseite der Straße eindrang, stürzte sie sich aus dem dritten Stock und verletzte sich dabei so schwer, daß sie kurz darauf starb.

Auch Angehörige der DDR-Grenztruppen gehören zu den Mauertoten. In der Ostberliner Egon-Schultz-Straße erinnern der Straßenname und eine Gedenktafel am Haus Nr. 55 an den Unteroffizier Egon Schultz. Es war 21, als er hier im Hausflur verblutete, umgebracht vermutlich von Leuten, die er beim Einstieg in einen Fluchttunnel überrascht hatte. Nahe dem ehemaligen Grenzübergang Checkpoint Charlie, durch den nun unbehindert der Verkehr rauscht, stehen auf vier mächtigen Granitquadern die Namen von acht DDR-Grenzposten, die von Flüchtenden erschossen wurden. Alle starben blutjung, alle gehörten Mannschaftsdienstgraden an. Nie traf es an dieser verdammten Mauer einen ihrer Generäle, nie einen ihrer Minister oder Volkskammerabgeordneten, die durch Anordnen oder Dulden des Schießbefehls auch für das Zurückschießen verantwortlich sind.

Schon immer in der deutschen Geschichte überlebten vor allem die Henker.

Wiedervereinigung auf der Mauer

28 Jahre, zwei Monate und 26 Tage war sie die undurchlässigste Grenze der Welt — und am Morgen des 10. November stehen Berliner aus Ost und West zu Hunderten darauf herum. Unvergeßliche Szenen haben sich in der Nacht abgespielt. Fremde sind einander lachend und weinend in die Arme gefallen, mitten in Berlin ist der kalte Krieg in einer großen Wiedersehensfeier zu Ende gegangen. „Das deutsche Volk war in der Nacht zu Freitag das glücklichste Volk der Welt", sagt Berlins Bürgermeister Walter Momper später. Ist alles vielleicht doch nur ein Traum? Wieder und wieder klettern die Berliner auf die Mauer und lassen die Vopos nicht aus den Augen. Aber die machen keine Anstalten, den „antiimperialistischen Schutzwall" zu räumen. Sie sind von der Entwicklung genauso überrascht worden wie ihre Regierung. Als Günther Schabowski am 9. November um 18.57 Uhr vor der Presse eher beiläufig bekanntgibt, daß die Grenzen geöffnet werden, ist keiner der Machthaber sich der Tragweite recht bewußt. Es ist das Bubenstück dreier Beamter des Innenministeriums: Sie haben den Passus eigenmächtig in die neue Reiseregelung hineingeschrieben.

Frei, endlich wieder frei!

Überwältigt von ihren Gefühlen, bricht die Frau in Tränen aus. Auf einmal ist die Mauer offen, und sie kann es, wie Millionen in Deutschland, überhaupt nicht fassen. Der 9. November und die Tage danach sind die anrührendsten eines wahrhaft historischen Jahres. Die Deutschen in Ost und West hatten sich ja mit Teilung und Zweistaatlichkeit abgefunden, die im Westen konnten damit sogar recht gut leben. Aber als die Grenze auf einmal aufgeht, öffnen sich auch die Herzen, entdecken die Menschen ein Gefühl der Zusammengehörigkeit, das so lange verschüttet war. Sie fallen sich in die Arme und sagen unter Tränen: „Wie schön, dich endlich wiederzusehen." In den Tagen des November hat noch niemand den Taschenrechner herausgeholt, keiner schert sich darum, was später werden soll. Jetzt zählt nur das Glück des Wiedersehens und der Freiheit. In den Tagen des November ist die Freude noch unschuldig.

So ein Stau, so wunderschön wie heute

Eine Lawine von Trabis ergießt sich am ersten Wochenende nach Öffnung der Grenzen über die Bundesrepublik. Wie in Helmstedt geht es an allen Grenzübergängen zu: kilometerlange Schlangen, eingenebelt von den blauen Auspuffwolken der Zweitakter. Drei Millionen DDR-Bürger machen sich auf den Weg in den Westen, von ihren Landsleuten herzlich begrüßt. In den grenznahen Städten der Bundesrepublik, in Hof oder in Lübeck, bricht der Verkehr zusammen. Aber auch die Zahl der Übersiedler steigt dramatisch an. Viele trauen der Wende in ihrer Heimat nicht, viele wollen auf Demokratie und Wohlstand nicht länger warten.

Schlange-stehen ist ein blödes Spiel

Den Kindern macht's keinen Spaß, aber ihre Eltern haben fürs Anstehen einen guten Grund: den Begrü-ßungs-Hunderter. Jeder DDR-Bürger bekommt das Geld bei seiner Einreise in den Westen. Eingeführt wurde die Regelung, damit die spärliche Zahl der Ostdeutschen bei Familienbesuchen nicht ganz ohne Geld dasteht. Ein minderer Etatposten des innerdeutschen Ministeriums. 1989 explodiert dieser Etat mit lautem Knall: 2,05 Milliarden Mark zahlen Postämter, Banken und Sparkassen an Begrüßungsgeld aus. Dabei hätten 16 Millionen DDR-Bürger, für jeden ein Hunderter, nur 1,6 Millionen Mark zugestanden. Da müssen einige häufiger in der Schlange gestanden haben ...

Der Kapitalismus gibt sich großzügig

Wie Verdurstende stürzen sich die DDR-Bürger auf den Wagen eines Getränkevertriebs, der direkt am Berliner Übergang Prinzenstraße steht. Endlich echte Cola — und auch noch kostenlos. Professionelle Westler haben auf die Grenzöffnung schnell reagiert, nicht nur die Bürger, die ihre Landsleute mit Tüten voller Bananen und Orangen an den Grenzübergängen begrüßen. Auch die Behörden handeln ungewohnt flexibel. Die Postämter öffnen am Wochenende, damit das Begrüßungsgeld von 100 Mark ausgezahlt werden kann, das Ladenschlußgesetz ist außer Kraft, damit das Geld auch gleich wieder ausgegeben werden kann. Ein unbeschreiblicher Ansturm auf billige Konsumgüter setzt ein, der Einzelhandel schiebt Sonderschichten. Aber die Bundesbürger murren nicht. Es ist, als wollten sie die arme Verwandtschaft dieses Jahr schon im November bescheren.

Aufmarsch zum historischen Foto

Eilig schreitet die Polit-Prominenz am 22. Dezember zur Öffnung des Grenzübergangs am Brandenburger Tor. Das Foto wird am nächsten Tag weltweit in den Zeitungen zu sehen sein, also darf keiner fehlen. Daß es Kanzler Kohl nicht paßt, sich mit Walter Momper abzugeben, ist ihm deutlich anzusehen. Die Erinnerung ans letzte Mal schmerzt. Da standen die beiden am 10. November mit Willy Brandt auf dem Balkon des Schöneberger Rathauses. Kohl wurde als einziger von der Menge gnadenlos ausgepfiffen. Anschließend hatte der CDU-Mann Wohlrabe den glorreichen Einfall, die Nationalhymne anzustimmen. So erklang das Lied der Deutschen in der schaurigschönsten Version, die Funk und Fernsehen je übertragen haben. Der Kanzler war blamiert, und so was vergißt er nicht. Aber jetzt geht es wieder zu symbolischen Taten und historischen Fotos, da stellt der Profi seine Gefühle zurück.

Premiere mit kleinen Pannen

45 Jahre war die Elbe fast unüberwindlich, aber im April 1990 werden die Ufer von Niedersachsen und Mecklenburg wieder durch Autofähren miteinander verbunden. Jedesmal, auch in Bleckede, ist der Andrang groß, wenn wieder eine historische Verbindung aufgenommen wird. Hier ist Niedersachsens Ministerpräsident Albrecht gekommen, um das rote Band an der Autorampe durchzuschneiden. Aber dem Jubel folgt schon bald eine Enttäuschung: Am zweiten Tag bleibt die Fähre „Amt Neuhaus" am Westufer liegen. Die Besucher aus der DDR müssen mit Bussen über Lauenburg nach Hause fahren.

Das Ende einer Todesfalle

Auf einmal ist alles so einfach. Routiniert und geschäftsmäßig bauen die Arbeiter die Sperrzäune zur Elbe bei Boitzenburg ab, als sei dies nicht eine der unmenschlichsten Grenzen der Welt gewesen: 1269 Kilometer Metallgitterzaun, 1208 Kilometer Signalzaun mit Schwachstrom, 292 Kilometer Minenfelder (1985 abgebaut), 339 Kilometer mit Selbstschußanlagen (1984 abgebaut), 665 Beobachtungstürme und 1181 Hunde, die das alles bewachten. Im Mai 1990 ist fast alles demontiert. Aber eine Narbe bleibt zurück.

Aussichts-turm, Made in GDR

Die Fensterscheiben sind herausgeschlagen, die Suchscheinwerfer abgebaut, auf der Plattform vergnügen sich die Wochenendausflügler. Fast *drei Jahrzehnte haben die Wachtürme an der Mauer der Wach- und Schießgesellschaft der Nationalen Volksarmee dazu gedient, das Volk in Schach zu halten, jetzt bieten sie den Hobbyfotografen neue Perspektiven auf alte Motive. Aussichtstürme an der Mauer haben Tradition, allerdings auf der Westseite. Sie boten lange den einzigen Einblick in den anderen Teil der Stadt und waren zugleich eine Agitationsplattform für kalte Krieger, die hier das häßliche Gesicht Ost-Berlins als Argumentationshilfe für ihre aggressiven Parolen nutzten.*

Schutz-wall? Schand-mauer? Bauschutt!

Was im Niemands-land zwischen Ost- und West-Berlin her-umliegt, war noch vor einem Jahr die be-kannteste Grenz-befestigung der Welt. „Die Mauer wird noch hundert Jahre stehen", verkündete Erich Honecker we-nige Monate vor sei-ner Absetzung, aber das war nicht sein ein-ziger Irrtum. Jetzt liegt sie, zerlegt in hand-liche Teile, bereit zum Abtransport, die pittoresk besprühten Teile eine willkom-mene Einnahme-quelle für die leeren Staatskassen der Noch-DDR. Die Firma „Limex" ist be-auftragt, die Mauer-segmente meistbie-tend an den Mann oder die Frau zu bringen.

Von führenden Innenarchitekten empfohlen

Deutsche Wertarbeit macht Karriere. Zum Preis von 1000 Ostmark sind die Mauersegmente einst aus Stahlbeton gebaut worden, für mehrere zehntausend Westmark gehen sie in alle Welt. Die Cognac-Königin Hennessy oder der Rentier Reagan: Sie zahlen eine Menge Geld für ein Stück der historischen Scheußlichkeit. Auffällig, daß die Deutschen weniger bereit sind, für ihren ganz persönlichen Zipfel vom Mantel der Geschichte auch noch mehrere zehntausend Mark hinzulegen. Sie haben die Mauer zu lange als brutale Grenze ertragen müssen, um sie jetzt auch noch in ihrem Garten sehen zu wollen. Dafür ersteigert ein Zürcher Geschäftsmann gleich elf Stücke. Es gilt wie immer das Rezept: im Dutzend billiger.

Mauerkäuferin Ljiljiana Hennessy in Frankreich

Mauerkäufer Nancy und Ronald Reagan in Kalifornien

Mauerkäufer Irvin Dyer in Arizona

Mauerkäufer Pascal Märki und Familie in der Schweiz

Freiheit für die D-Mark

Von Gerhard Thomssen

Zweimal wurden in der deutschen Geschichte an einem 18. März Marksteine gesetzt, und beide Male ging es um die Freiheit und die Selbstbestimmung der Menschen. Am 18. März 1848 errichteten Bürger, Arbeiter und Studenten in Berlin Barrikaden und erhoben sich gegen Überreste einer alten Feudalordnung. Sie forderten Maßnahmen gegen die grassierende Arbeitslosigkeit, klagten die Pressefreiheit ein und ein preußisches Parlament. Vergeblich allerdings: Die bürgerlich-republikanische Bewegung wurde von den preußischen Soldaten brutal niedergemetzelt. Am 18. März 1990 ging es wieder um die Selbstbestimmung der Deutschen, zumindest eines Teils von ihnen: Die Bürger der DDR konnten sich erstmals in freier und geheimer Wahl ihr Parlament wählen, nach mehr als 40 Jahren der Bevormundung und der Einschüchterung durch das stalinistische SED-Regime.

Doch genaugenommen war die Wahl zur Volkskammer am 18. März 1990 nicht viel mehr als eine „Stellvertreterwahl". Nicht die originären Programme der DDR-Parteien waren wahlentscheidend. Bei der Märzwahl entschied das Wahlvolk der Noch-DDR über nichts anderes als über den Weg im deutsch-deutschen Einigungsprozeß, wie er von den bundesrepublikanischen Parteien vorgezeichnet war, von ihren Ost-Ablegern bestenfalls in Nuancen variiert. Und im Grunde war die Wahl entschieden, lange bevor die West-Parteien mit Plakaten, Hochglanzprospekten und Rednern in die DDR eingerückt waren. Spätestens als Bundeskanzler Helmut Kohl einige Wochen zuvor eine schnelle Wirtschafts- und Währungsunion in Aussicht gestellt hatte und die „Allianz für Deutschland", das konservative Bündnis aus CDU (Ost), der Deutschen Sozialen Union (DSU) und des Demokratischen Aufbruchs (DA), den DDR-Part seiner Strategie einer möglichst schnellen Vereinigung übernahm, waren die Parteien der Opposition hoffnungslos abgeschlagen. Vor allem die SPD, die sich Anfang des Jahres noch Hoffnung auf eine gesamtdeutsche Mehrheit gemacht hatte, geriet mit ihrer differenzierten Haltung zum Wie und Wann der Einheit beim Wahlvolk in der DDR ins Abseits.

Die ostdeutschen Wähler entschieden sich am 18. März 1990 für eine schnelle Abwicklung des Konkurses ihrer Noch-DDR: Die Allianz für Deutschland brachte es auf stattliche 48 Prozent der Stimmen, die Sozialdemokraten haderten mit niederschmetternden 21,8 Prozent, die PDS schaffte mit ihrem Kontrastprogramm immerhin noch 16,3 Prozent. Der Bund Freier Demokraten und das Bündnis 90, immerhin die Mit-Protagonisten des politischen Widerstands gegen das verhaßte SED-Regime, konnten nur 5,3 respektive 2,8 Prozent der Wählerstimmen für sich verbuchen.

Nach Alternativen zum konservativen Drehbuch der Vereinigung war gar nicht erst lange gesucht worden. Die Vision vom „Dritten Weg", von einem Pfad zwischen dem real existierenden Kapitalismus und dem Staatssozialismus stalinistischer Prägung wurde, wenn überhaupt, nur „angedacht". Und auch nur in den Gruppen und Parteien, die im November 1989 als Verfechter der demokratischen Wende den Menschen in der DDR politische Orientierung geboten hatten. Doch das „Neue Forum", „Demokratie jetzt", die „Initiative für Demokratie und Menschenrechte", die „Vereinigte Linke" und die DDR-Grünen spielten inzwischen nur noch eine Nebenrolle, nämlich die Rolle einer Opposition, der kaum jemand mehr zuhörte. Denn genau den Hunderttausenden von Bürgern, die in den Wochen der friedlichen Revolution mit ihren mutigen und leidenschaftlichen Demonstrationen in Leipzig, in Dresden und Berlin das SED-Regime fortgefegt hatten, stand nicht der Sinn nach sozialistischen Experimenten, nach einem „Dritten Weg". Längst war der gebrochen. Westliche Wertvorstellungen spülten die Ideen der Novemberrevolutionäre von einer eigenen Identität und einem eigenen politischen und kulturellen Bewußtsein „ihrer" DDR-Gesellschaft fort wie einen Halm im Strom. Nichts davon, so mußten sich die oppositionellen Gruppen eingestehen, ließ sich in ein vereinigtes Deutschland hinüberretten.

Die große Mehrheit der Menschen in der Noch-DDR entschied sich für die Marktwirtschaft im Original, für das Erfolgsmodell Bundesrepublik.

Sie wollten nicht länger wertlose „Alu-Chips" in der Tasche haben, sondern endlich „richtiges Geld" — die harte Mark. „Entweder die Mark kommt zu uns, oder wir kommen zur Mark" war die Alternative, vor die sich die Einigungs-Strategen in Bonn gestellt sahen.

Selbst pragmatische Lösungen eines schrittweisen Übergangs hin zur rauhen Wirklichkeit einer Wettbewerbswirtschaft wurden verworfen. Von den „föderativen Strukturen", die Bundeskanzler Helmut Kohl im November 1989 in ferner Zukunft für möglich gehalten hatte, wollte zumindest in den Regierungsparteien im späten Frühjahr 1990 niemand mehr etwas wissen. Die Einheit sollte her, so schnell wie möglich. Der Kollaps der maroden DDR-Wirtschaft mit Massenarbeitslosigkeit und tiefen sozialen Rissen in der Gesellschaft des neuen Deutschlands wurde dabei billigend in Kauf genommen.

Und das entgegen den Warnungen von kompetenter Seite. So hatten etwa der Sachverständigenrat, die Wirtschaftsforschungsinstitute, die Gewerkschaften, die Deutsche Bundesbank und Oppositionspolitiker ebenso vor allzu großer Eile der Mark-Einführung gewarnt wie Vertreter der Industrie. Die Kritiker befürchteten, die marode Wirtschaft der DDR würde im Wettbewerb mit den westlichen Konkurrenten vollends den Bach runtergehen.

Doch kritische Stimmen waren nicht gefragt in einer Zeit historischer und immer wieder bewegender Superlative. Die Bonner Regierung drückte aufs Tempo. Mit dem schon gebetsmühlenartig wiederholten Hinweis, doch ausschließlich im Sinne der Menschen in der DDR zu handeln, bastelten sich die Einigungseuphoriker eine publikumswirksame Schein-Legitimation. Möglich, daß sich einer von ihnen an die Erkenntnis des deutschen Weltökonomen Friedrich List erinnert haben mag, der schon vor zweihundert Jahren schrieb, daß eine gemeinsame Währung die stärkste Klammer sei, um zwei Staaten fest aneinanderzuschmieden. Für manchen Kritiker der Wirtschafts- und Währungsunion indes war die Einführung der Mark nichts anderes als eine handstreichartige ökonomische Okkupation des deutschen Ostteils. „Eine Invasion wäre ehrlicher gewesen", merkte etwa der ehemalige Regierende Bürgermeister von Berlin Heinrich Albertz dazu an.

Wann kommt sie, und wie kommt sie? Das war dann nach den Wahlen im März die bange Frage der Menschen in der DDR. Würde sie, die lang herbeigesehnte Mark, in einer Nacht- und Nebelaktion kommen wie in der Währungsreform 1948? Und, die entscheidende Frage: Wieviel bekomme ich für mein sauer verdientes, aber wertloses Ost-Geld? 1 zu 1, 1 zu 2 oder gar nur 1 zu 3? Wie Fußballer-

gebnisse wurden die möglichen Tauschrelationen diskutiert, allerdings schon bald mit der ernüchternden Erkenntnis, daß die Wahlreden, die ihnen die Mark, die Marktwirtschaft und ein „zweites Wirtschaftswunder" versprochen hatten, wohl von einer Logik durchzogen gewesen waren, die nicht die ihre war. Schon jetzt fühlten sich nicht wenige um eine Hoffnung ärmer oder schlicht betrogen.

Eine Vereinigung in Würde hatte Ministerpräsident Lothar de Maizière seinen Bürgern nach der Märzwahl versprochen — von einer gestaltenden Mitwirkung seiner Regierung und der Volkskammer konnte jedoch kaum die Rede sein. Kurs und Tempo wurden vom Bonner Kanzleramt vorgegeben, das Parlament im Berliner Palast der Republik war kaum mehr als eine vollsynchronisierte Sanktionseinrichtung für die Exekutive im Westen. So kam sie dann, die Mark, wie sie wohl kommen mußte: zur Stunde Null am 1. Juli 1990. Ungetrübt von der Sorge, daß sie am Ende zu kurz kommen könnten, ließen die Menschen in der DDR wieder einmal die Sektkorken knallen und feierten einen weiteren — den wievielten? — historischen Tag. Dennoch: Mit einem Gefühl zwischen Bangen und Hoffen drängten sich dann Tausende an die Bankschalter, um sich ihren Anteil am D-Mark-Segen zu sichern. Rund 25 Milliarden Mark, 600 Tonnen Papier und Münzen, waren von der Frankfurter Bundesbank in den Tagen zuvor in gepanzerten Lastwagen in die DDR geschafft worden. Für den einzelnen Bürger gab's freilich nur ein kleines Häppchen aus dem großen Kuchen. Ein wenig verstohlen zählte da mancher noch einmal die frischgedruckten Scheine nach, 300 Mark, 800 Mark oder den Höchstbetrag von 2000 Mark — ein karger Lohn für jahrelange harte Arbeit.

Neben der Freiheit zu reisen hatten die „Ossis" jetzt endlich auch die Freiheit zu kaufen, und zwar alle so lang unerreichbaren Insignien westlicher Konsumkultur: den Fernseher, den Videorecorder, schicke Klamotten und — endlich — ein richtiges Auto. Doch der zunächst erwartete Kaufrausch im Westen blieb aus. Sparsamkeit war angesagt. Zumal fortan jede West-Mark verdient werden mußte, in Unternehmen und Betrieben, die längst komplette Entlassungslisten in den Schubladen hatten. Keine Branche und kaum ein Betrieb würde auf den Weltmärkten eine Chance haben, wenn in harter Währung abgerechnet werden mußte. Ganze Regionen hingen am Tropf, nicht zuletzt auch, weil die traditionellen Märkte im Ostblock wegen ihres chronischen Mangels an Devisen ausfielen. Produkte „Made in GDR" hatten keine Chance mehr, nicht einmal im eigenen Land. Selbst die Landwirte blieben auf ihrem Fleisch, ihrem Gemüse und ihren Milcherzeugnissen sitzen. „Ein brutales Lehrstück der Marktwirtschaft", urteilte Wirtschaftsminister Helmut Haussmann, glaubte jedoch, den Menschen in der DDR die Lektion zumuten zu können.

Dabei hielten sich die Lehrmeister der Marktwirtschaft auffällig zurück. Von der Euphorie, mit der die bundesdeutschen Unternehmer auf den Fall der Mauer reagiert hatten, war nichts mehr zu spüren, und von den in Aussicht gestellten Investitionen in der DDR, von arbeitsplatzschaffenden Gemeinschaftsunternehmen mit ehedem volkseigenen Betrieben war längst keine Rede mehr. Die Renditeaussichten, so hatten die Emissäre der westlichen Unternehmen inzwischen herausgefunden, waren einfach zu trübe, und die vom SED-Regime hinterlassenen ökologischen und ökonomischen Altlasten nicht überschaubar. Und überhaupt — weshalb sollten bundesdeutsche Unternehmen in der DDR neue Fabriken bauen, wo doch alles, was im Ostteil gefragt war, in der Bundesrepublik produziert werden konnte?

So war es auch kaum mehr überraschend, daß sich die Kritik an der Wirtschafts- und Währungsunion in der Bundesrepublik in Grenzen hielt. Eingelullt von dem alles ergreifenden Pathos der Vereinigung übten sich die vormaligen Bedenkenträger im Schulterschluß mit der Regierung, denn die Öffnung zum Osten bescherte der heimischen Wirtschaft pralle Auftragsbücher und ungeahnte Wachstumsraten. Im Osten dagegen: ein Absturz in Lethargie und Aussichtslosigkeit, dramatisch wachsende Arbeitslosigkeit und Kurzarbeit. Die Milliarden im „Deutsche Einheitsfonds" waren schnell ausgegeben, vor allem, um den Flächenbrand sozialer Kosten einzudämmen. Für Investitionen in die darniederliegende Infrastruktur der DDR, in das Straßen- und Schienennetz, in die so gut wie gar nicht vorhandenen Kommunikationseinrichtungen, in die Energieversorgung und den Umweltschutz reichte das Geld bei weitem nicht. Und die „Treuhand", die sich daranmachte, rund 7000 volkseigene Betriebe und Kombinate auf eine privatwirtschaftliche Übernahme vorzubereiten, konnte der Ost-Wirtschaft keine Impulse geben. Total veraltete Produktionsstätten, verseuchte Industrie-Böden, kein technisches Know-how — bestenfalls für die Perlen des maroden Nachlasses fanden sich im Westen Interessenten.

Als einer der wenigen Politiker von Gewicht geißelte Oskar Lafontaine, damals schon gekürter Kanzlerkandidat der SPD, die Wirtschafts- und Währungsunion als „die historische Fehlentscheidung der letzten Jahrzehnte". Doch selbst in den eigenen Reihen fand Lafontaine mit seiner klaren Absage an die schnelle Vereinigung nicht die von ihm erwartete Resonanz — vermutlich die Ursache für das klägliche Scheitern der SPD bei den ersten gesamtdeutschen Wahlen am 2. Dezember 1990.

In Bonn wurde derweil um den Preis der Einheit gestritten. Mehr oder weniger aus der Luft gegriffene Milliardenbeträge machten die Runde, die allesamt, wie sich später zeigen sollte, zu tief gegriffen waren. Und es wurde weiter um den verfassungsgemäßen Schritt der Vereinigung gestritten. Es ging dabei um Artikel 23 oder Artikel 148 des Grundgesetzes, um einen einfachen „Beitritt" der DDR oder um ein Plebiszit über eine neue gesamtdeutsche Verfassung, die durchaus auch „Nachbesserungen" des zweifellos bewährten Grundgesetzes hätte aufnehmen können. Doch die Zeit für eine Debatte nahm man sich in Bonn nicht. Es schien fast so, als hätten die Regierenden Angst vor ihrem Volk, vor dem alten und dem neuen. Der Einigungsvertrag wurde mit schneller Feder geschrieben und durch die Parlamente gepaukt; die Abgeordneten der Volkskammer bekamen gar erst am Abend vor der Abstimmung die Unterlagen mit allen Details — mehr als 1000 Seiten —, die niemand mehr prüfen konnte.

Das atemberaubende Tempo des Vereinigungszuges wurde auch von den Siegermächten und den übrigen Partnern in der Europäischen Gemeinschaft mit gemischten Gefühlen beobachtet. Hatte etwa Frankreichs Staatspräsident François Mitterrand kurz nach dem Fall der Mauer eine deutschdeutsche Vereinigung noch als ein schnell vorübergehendes Wunschdenken einiger Bonner Politiker abgetan, mußte er im April seinen Irrtum eingestehen. Denn auch in der Außenpolitik entfaltete der Einigungsprozeß seine enorme Eigendynamik — getragen von der Wirtschaftskraft der weltweit führenden Exportnation. Die wägenden und nachdenklichen Politiker in Europa hatten dem wenig entgegenzusetzen. *Ein* Deutschland, das war der Brocken, den sie zu schlucken hatten, ob sie es wollten oder nicht. Einer verschluckte sich sogar daran, als er nach ein paar Gläsern Whisky locker preisgab, was vermutlich auch viele seiner Landsleute dachten: Die Deutschen, diktierte der britische Handels- und Industrieminister Nicholas Ridley einem Journalisten in den Block, arbeiteten an einem „Komplott, mit dem Ziel, ganz Europa zu übernehmen", und ließ sich über Auschwitz und Hitler aus, das alles im Zusammenhang mit den Deutschen, die jetzt ihre Vereinigung auf die Tagesordnung der Außenpolitik gesetzt hatten. Seine Chefin Margaret Thatcher nahm zwar das Rücktrittsgesuch ihres engen Vertrauten an, allerdings, wie die britische Opposition ihr ankreidete, nur mit großem Bedauern. Immerhin hatte sie zuvor die neue Lage mit dem vereinigten Deutschland im Herzen Europas von britischen Experten analysieren lassen. Das Ergebnis des Brainstormings fiel für die Deutschen wenig schmeichelhaft aus. Schon jetzt, gab der Expertenkreis zu bedenken, sei eine

Art Siegestaumel im deutschen Denken spürbar, die für alle ungemütlich sei. Selbst die Optimisten unter den britischen Deutschlandkennern wollten „gewisse Befürchtungen hinsichtlich der Auswirkungen der Vereinigung auf Europa" nicht ausschließen, wie es in dem Memorandum für die Premierministerin hieß.

Bundeskanzler Kohl indes, beseelt von dem Gedanken, als Vereinigungskanzler die deutsche Geschichte zu bereichern, ließ sich von den Bedenken der europäischen Partner nicht bremsen. Schon im Februar hatte er sich in Moskau das wohl entscheidende Plazet geholt: die Versicherung Michail Gorbatschows, die Vereinigung sei allein Sache der Deutschen. So ganz uneigennützig gab der Kreml-Chef dem deutschen Kanzler die Zusage freilich nicht. Er konnte fortan damit rechnen, daß ihm die wirtschaftlich so starken Deutschen bei der Bewältigung seiner inneren Probleme mit kräftigen Finanzspritzen zu Hilfe eilen würden. Freilich pochten die Sowjets wie auch die übrigen Siegermächte darauf, daß die Vereinigung nicht als „Blitzpartie" vollzogen würde. Sie warnten „gewisse Kreise in der BRD" davor, „aus der Regelung der deutschen Frage eine Reihe ihrer potentiellen Teilnehmer auszuschließen und die Weltgemeinschaft, einschließlich der Vier Mächte, vor vollendete Tatsachen zu stellen". Bei der Vereinigung sollten „die Interessen der europäischen Nachbarn gewahrt bleiben", wie Außenminister Eduard Schewardnadse ausdrücklich unterstrich. Mit dieser Forderung indes tat sich der Bundeskanzler schwer. Er ließ sich peinlich lange Zeit, bis er den Polen endlich verbindlich erklärte, daß die Ostgrenze des vereinigten Deutschlands unverrückbar sei und daß Deutschland jetzt und künftig keinerlei Gebietsansprüche gegenüber Polen erheben werde.

Es war zweifellos das Verdienst von Außenminister Hans-Dietrich Genscher, daß die Irritationen und Bedenken der europäischen Nachbarn im Laufe des Sommers langsam schwanden. Der Viel-Flieger sagte Konsultationen über jeden Schritt zu. Mit der griffigen Formel „zwei plus vier" gelang es ihm schließlich sogar, die beiden deutschen Staaten gleichberechtigt in die Verhandlungen mit den Siegermächten über die außenpolitischen Aspekte der Vereinigung einzubinden.

Ein Problem blieb: die Bündnisfrage. Über die Zugehörigkeit eines vereinigten Deutschlands zur NATO wollte selbst Michail Gorbatschow zunächst nicht mit sich reden lassen. „Die Neutralisierung ist der vernünftigste und richtige Weg", ließ er seinen Außenminister Schewardnadse erklären, „ein neutrales und demilitarisiertes Deutschland war immer das Hauptprinzip Moskaus." Ein Standpunkt, der — was kaum jemanden überraschte — auf den Widerstand im westlichen Bündnis stieß.

Bündnistreu zeigten sich auch die Deutschen. Ein Austritt und eine wie auch immer geartete Neutralität komme nicht in Frage, versicherte Bundeskanzler Kohl den Partnern in der Allianz. Den Knoten durchschlug der Kanzler schließlich selbst: Im September konnte er dem sowjetischen Führer das Zugeständnis abringen, mit seinem Deutschland Mitglied der NATO bleiben zu dürfen. Wieder funktionierte die Politik der goldenen Hand: Kohl sicherte dem Kreml-Chef auf ausgedehnten Spaziergängen in dessen Heimatort, im fernen Archys im Kaukasus, eine großzügige finanzielle Hilfe beim Rückzug der sowjetischen Truppen aus der DDR zu; ebenso, nach der Vereinigung keine Stationierung von NATO-Verbänden auf dem Gebiet der ehemaligen DDR zuzulassen. Mit dem kaum erwarteten Ergebnis in der Tasche war der Kanzler daheim der Superstar, von der heimischen Presse, auch von der, die ihn bis dahin nicht selten hämisch kritisiert hatte, gefeiert und umjubelt.

Auf dem Weg zur Einheit gab es keine Hindernisse mehr. Am 3. Oktober 1990 trat die DDR nach Artikel 23 der Bundesrepublik bei — genau 327 Tage nachdem die Mauer gefallen war. Die DDR existierte nicht mehr, wenngleich sie immer noch allgegenwärtig war. Pleiten von Betrieben und Kombinaten der ehemaligen DDR füllten die Schlagzeilen, die Arbeitslosigkeit stieg unaufhörlich weiter, und der lange Arm der Stasi holte den einen oder anderen Politiker der Ex-DDR von der gerade erklommenen Karriereleiter auf den Boden der Tatsachen zurück. Und dennoch — die liberal-konservative Koalition feierte bei den ersten gesamtdeutschen Wahlen einen überzeugenden Sieg. Von dem kleinen Häuflein der Novemberrevolutionäre, die in den Bundestag einzogen, sprach niemand mehr. Helmut Kohl war am Ziel: Er konnte sich zum ersten gesamtdeutschen Bundeskanzler wählen lassen.

Jetzt kommt der Kapitalismus

Nein, das ist wohl doch kein Transport der Bundesbank, die rechtzeitig zur Währungsunion schon mal D-Mark in die DDR hinüberschafft. Aber so recht weiß der Grenzer nicht, was er mit dem Witzbold anfangen soll, der seinen Kleinbus mit überlebensgroßen Hundertern geschmückt hat. Darf der das? Entspricht das der Straßenverkehrsordnung? Aber mit der Wende sind die vertrauten Verhaltensmuster hinfällig geworden. Also: Kein bellendes „Rechts raus"-Kommando, keine Durchsuchung, kein Verhör, nur ein skeptischer Blick. Vermutlich erinnert das Spaßmobil den Beamten eher daran, daß mit der Einführung der westlichen Währung sein Arbeitsplatz verlorengeht: Zum 1. Juli werden die Kontrollen an der innerdeutschen Grenze abgeschafft.

Die Demokratie beginnt mit – warten

Auf den ersten Blick ist alles wie in vierzig Jahren DDR. Das Volk begibt sich in Wahllokale, die nach den Säulenheiligen des Arbeiter- und Bauernstaates benannt sind. Und doch ist nichts wie zuvor: Die Menschen kommen freiwillig zur Volkskammerwahl am 18. März. Es ist die erste freie und demokratische Wahl seit 58 Jahren, und 93,2 Prozent der wahlberechtigten Bürger stimmen ab. Das Ergebnis der Wahl stellt die Erwartungen auf den Kopf: Die konservative „Allianz für Deutschland" aus CDU, DSU und DA verfehlt mit 48,15 Prozent nur knapp die absolute Mehrheit, die CDU ist mit 40,9 Prozent die große Siegerin. Die SPD, lange als Favorit gehandelt, kommt nur auf 21,8 Prozent der Stimmen. Drittstärkste Kraft wird mit 16,3 Prozent die SED-Nachfolgepartei PDS. Für die Bürgerbewegungen, organisiert im „Bündnis 90", gerät die Volkskammerwahl zum Desaster — gerade 2,9 Prozent der Stimmen entfallen auf die Männer und Frauen, die die Wende erst möglich gemacht haben.

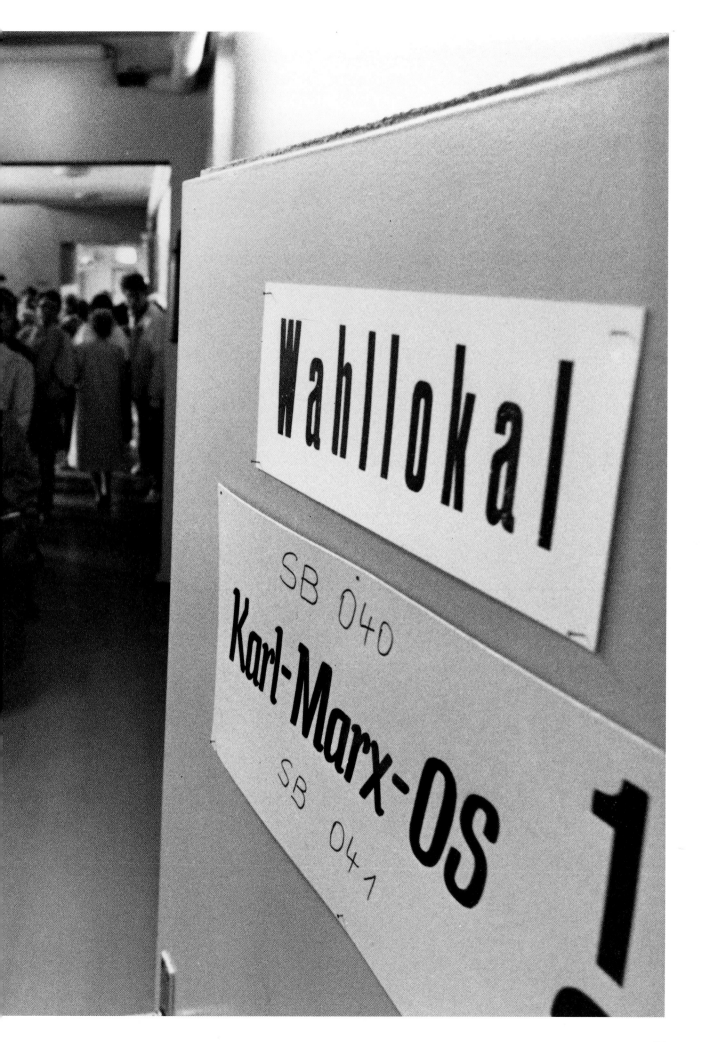

Wahllokal

SB 040
Karl-Marx-OS
SB 047

Die Eintracht reicht nur fürs Gruppenfoto

Nachdenklich kratzt sich Lothar de Maizière das Haupt, er ahnt wohl schon, was auf ihn zukommt: als Ministerpräsident eines Staates auf Abruf, demokratisch gewählt, um sich so schnell wie möglich selbst abzuschaffen. Die Regierungsbildung war eine Zangengeburt. Erst wollte die SPD auf keinen Fall mit der DSU, dann auf keinen Fall mit einem DSU-Minister Ebeling. Dazu kam der Streit um die Beitrittsmodalitäten zur Bundesrepublik. Schließlich siegt das Verantwortungsbewußtsein. Oder der Machtwille? Nach der Vereidigung am 12. April scheint der frischgebackene Außenminister Markus Meckel jedenfalls der einzige zu sein, den das neue Amt so richtig mit Stolz erfüllt. Der nadelgestreifte Zweireiher hängt dem bärtigen SPD-Pfarrer wie eine Verkleidung am Leib, aber er trägt die Amtstracht mit Würde. Meckel weiß noch nicht, daß sein Chef Lothar de Maizière die Außenpolitik selbst in die Hand nehmen will. Und daß die Regierung aus CDU, DSU, DA, FDP und SPD sich eigentlich nur darüber einig ist, wie man sich zu einem Gruppenfoto vor dem Palast der Republik aufstellt.

Das ist die hart erkämpfte Pressefreiheit

Ob die Demonstranten der friedlichen Revolution „Praline", „Sex Revue" und „Fix und Foxi" meinten, als sie die Freiheit der Presse forderten? Am 5. März beginnen die bundesdeutschen Verlage mit der Auslieferung ihrer Blätter in die DDR, schon im Juni ist die „Bild"-Zeitung mit einer Million verkaufter Auflage die größte Tageszeitung im Osten Deutschlands. Dagegen kämpfen die DDR-Blätter, vor allem die ehemaligen SED-Zeitungen, ums Überleben. Aber die westdeutschen Konzerne stehen schon bereit, sich ihre Marktanteile im Osten zu sichern: Übernahmen und Joint-Ventures verändern die Presselandschaft der DDR.

71

Schlange-stehen für die Marktwirtschaft

Vertraute Bilder in den Tagen vor der Währungsumstellung: Überall in der DDR stehen die Menschen an, diesmal vor den Sparkassen und Banken, denen der Staatsvertrag zur Wirtschafts-, Währungs- und Sozialunion ein glänzendes Geschäft beschert. Denn wer für seine Ostmark die harte D-Mark haben will, braucht dazu ein Umstellungskonto. Um die Modalitäten des Umtauschs hat es monatelang heftigen Streit gegeben. Jetzt ist klar: Die Löhne und Gehälter werden im Verhältnis 1:1 umgestellt, ebenso die Sparguthaben bis zur Höhe von 4000 Mark, bei Rentnern 6000 Mark. Wer soviel Ostgeld nicht hat, versucht, es sich auf dem Schwarzmarkt zu besorgen. Dort werden für 100 D-Mark 170 Ostmark gezahlt — und am 1. Juli in 170 D-Mark umgetauscht. Ein besseres Geschäft war mit der DDR-Währung nie zu machen.

Aufs große Geschäft gut vorbereitet

Der Verkäufer grinst sich eins, und der alte Mann kann es kaum glauben. Solche Geräte hat er hier noch nie gesehen. Die Währungsunion wirft ihre Schatten voraus, auch in Bernburg an der Saale bereiten sich die Geschäftsleute auf den 2. Juli vor, den ersten Verkaufstag, an dem nur noch mit D-Mark bezahlt werden kann. Die Bilder aus dieser Zeit erinnern Bundesbürger an die Tage vor dem 21. Juni 1948, als in der damaligen Westzone die Reichsmark durch die Deutsche Mark ersetzt wurde: Auf einmal füllten sich die Schaufenster der Läden, in denen vorher traurige Leere geherrscht hatte.

Ein Lichtblick in der Tristesse

Ähnlich schöne Aussichten hat der Sommer für die Küstenbewohner selten parat: Leer ist es im Ostseebad Warnemünde, die meisten Strandkörbe sind unbesetzt. Die Warnemünder dagegen bekommen beim Anblick ihrer Strände schlechte Laune: An eine ähnlich schlechte Saison können sie sich nicht erinnern. Bis zu vierzig Prozent sind die Hotels und Ferienheime unterbelegt, gehofft hatte die Branche auf einen Rekord-Sommer. Aber die Wessies haben schnell gemerkt, daß die Preise zwar auf Westniveau gestiegen sind, der Service aber nicht. Der zweifelhafte Charme der Plattenbauweise, die mangelhafte Ausstattung der Unterkünfte lassen viele Urlauber doch wieder zu den angestammten Quartieren an der bundesdeutschen Ostsee reisen. Für die Warnemünder hat das nur einen Vorteil: Ein Strandkorb ist immer frei.

Silvesterstimmung mitten im Sommer

„So ein Tag" schallt es über den Alex, Böller gehen hoch, die Menschen jubeln und tanzen, als sei gerade die Mauer aufgegangen. Dabei geht es um ein Stück Papier. Seit 0 Uhr am 1. Juli 1990 ist die Deutsche Mark auch in der Deutschen Demokratischen Republik die offizielle Landeswährung. Pünktlich um Mitternacht öffnet die Filiale der Deutschen Bank am Alexanderplatz ihre Schalter. Seit den frühen Abendstunden hat sich eine Menschentraube gebildet, jetzt drängen die Ostberliner in die Bank hinein. Eine Glastür geht kaputt, mehrere Wartende werden ohnmächtig. Aber das tut dem Jubel keinen Abbruch. „Endlich richtiges Geld", schallt es immer wieder über den Alex. Und nur ein paar Betrachter erinnert das Spektakel an den Tanz ums goldene Kalb.

Ein Prinz von Konsul Weyers Gnaden

„Frederec Prinz von Anhalt" nennt sich der goldbetreßte Herr mit den grauen Schläfen, Zsa Zsa Gabors achter Ehemann ist er, und Robert Lichtenberg hat er geheißen, bis er vor etwa zehn Jahren von einem verarmten Sproß derer von Anhalt adoptiert wurde — auf Vermittlung des Konsul Weyer, für 100 000 Mark, sagt der, was der Adoptiv-Prinz bestreitet. Den Kranz legt Frederec auf Schloß Ballenstedt nieder, dem Stammsitz der erlauchten Familie. Es ist wie alle Adelsschlösser nach dem Krieg enteignet worden, und jetzt stehen die Nachkommen Schlange, um die ehemals repräsentativen Bauten zurückzubekommen — allen voran ein echter Anhalt, Prinz Eduard. Prinz Frederec alias Robert Lichtenberg kommt da nicht besonders gelegen, ebenso die etwa 37 weiteren Adoptiv-Angehörigen. „Die haben unseren Namen schon so ramponiert, daß ich in Hotels, wo ich nicht persönlich bekannt bin, vorauszahlen muß", klagt Eduard. Harte Zeiten für den Blaublüter.

80

MARKGRAF
LBRECHT
DER BÄR

WEGBEREITER INS
TSCHE OSTLAND
+ 1170
SEINE GEMAHLIN

SOPHIE

Bananen, soviel der Geldbeutel hergibt

Er ist genauso groß wie in einem bundesdeutschen Supermarkt, der Bananen-Berg im „Zentrum Warenhaus" am Alex, einen Tag nach Einführung der D-Mark. Jahrzehntelang gab es die begehrte Frucht höchstens im Intershop oder zu Weihnachten, wenn das SED-Regime seine Bürger versöhnlich stimmen wollte. Wie wenige andere Konsumartikel wurde die Banane für die Ostdeutschen zum Symbol des Wohlstands im Westen. Und wie selbstverständlich streckten die Bundesbürger den Landsleuten nach der Grenzöffnung Tüten voll Bananen entgegen. Im Sommer 1990 ist der Nachholbedarf weitgehend abgebaut. Das signalisiert schon der Preis: Er ist nicht höher als in einem beliebigen Westberliner Laden.

Neue Märkte sind nicht vom Sofa aus zu erobern

Pioniere müssen improvisieren: Das Büro von Walter Gantert, Geschäftsführer von Asbach & Co, ist im Hinterzimmer einer Leipziger Backstube — und im eigenen Mercedes, wenn er gerade mal wieder telefonieren muß. „Ohne Verbindungen läuft nichts“, sagt der 54jährige. Er hat sich innerhalb weniger Monate gute Kontakte erschlossen. Im Osten bietet sich die Chance, trotz drohender Rezession schöne Gewinne zu machen, und dafür lassen andere als Gantert auch schon mal die guten Sitten vergessen. „Wie die Kolonialherren“ verhielten sich manche Wessi-Manager, empören sich die Ostdeutschen, was die so Bezeichneten offenbar nicht stört: Wenn der Gewinn lockt, ist die Kinderstube oft schnell vergessen.

Büßen müssen die armen Schweine

Hineingepfercht in die Boxen der LPG Paetow, fristen die Schweine ihrem Ende entgegen: dem Tod im Schlachthof oder gleich hier, wenn das sensible Nervenkleid der Tiere nicht mehr mitspielt. Weil in der DDR keiner mehr Lebensmittel aus eigener Produktion kaufen will, keine Milchprodukte, kein Gemüse, kein Fleisch, drängeln sich viel zu viele Schweine in den ohnehin klein bemessenen Vierecken. In den Schlachthöfen wird das Fleisch bereits tiefgefroren eingelagert, aber die Lagerkapazitäten reichen längst nicht aus. So ist der LPG die Abnahme verweigert worden. Um auf ihre Sorgen aufmerksam zu machen, reagierten mehrere Mäster aus Wittstock medienwirksam: Vor laufenden Kameras schlugen sie ihre Ferkel auf bestialische Weise tot. Weil die ja sowieso niemand mehr haben wollte. Aber die Sorgen der Landwirte sind eins, solche Inszenierungen das andere: Jetzt befaßt sich ein Gericht mit der Tierquälerei.

86

Trabis für die DDR

Noch stehen sie in Darmstadt, aber der Bestimmungsort der Trabis ist Rothenkirchen im sächsischen Vogtland. Die beiden Schriftzüge auf der Kunststoff-Tür symbolisieren eine der ersten Wirtschafts-Wiedervereinigungen, genau am Tag der Währungsunion. Die Firma „Londa" residiert heute im einstigen Stammhaus des Haarpflege-Konzerns „Wella", und schon bald soll am traditionsreichen Haus auch wieder der alte Name prangen. Einstweilen behilft man sich mit einem Joint Venture, die 300 Mitarbeiter in Rothenkirchen sollen bleiben. Die Außendienstler von „Londa" bekommen aus der Darmstädter Wella-Zentrale erst mal einen Trabi als Dienstwagen gestellt. Detlev Rohwedder, Chef der Treuhand und Ober-Sanierer der Wirtschaft im Osten, wird solche Abschlüsse gerne sehen. Aber leider läuft die Überführung der alten Planwirtschaft in die Marktwirtschaft selten so reibungslos.

Eine Sahneschnitte für das Krokodil

Eine bessere Adresse hätte sich für die Nobelfirma Lacoste in ganz Berlin nicht finden lassen. „Unter den Linden" — das hatte einst denselben Klang wie „Champs-Elysées". 1673 wurde die erste Linde gepflanzt, seit der Zeit Friedrichs des Großen flanierte hier die feine Gesellschaft, zeigte sich dem Volk, saß in Kaffeehäusern. Im Gegensatz zum Ku-'damm, dessen Tradition eher republikanisch ist, war „Unter den Linden" immer der Boulevard mit adligem Flair, wie geschaffen, um jetzt die besonders noblen Geschäfte aufzunehmen. Das Ambiente mit Zeughaus und Kronprinzenpalais, Deutscher Oper und Humboldt-Universität ist prächtig, lange wird es nicht dauern, bis die feine Gesellschaft wieder ihren Boulevard hat — und das Volk ihr beim Flanieren zugucken kann.

Auf dem Weg zur Einheit

Landtagswahlen und 3. Oktober

Von Rolf Schneider

Die Landtagswahlen vom 14. Oktober wurden für die Bevölkerung der seit zwei Wochen nicht mehr bestehenden DDR zum dritten Urnengang im Kalenderjahr 1990. Ein vierter, die Bundestagswahl, stand, was man wußte, unmittelbar bevor, und entsprechend zeigte sich die Stimmung im Land kaum noch von besonderem Enthusiasmus geprägt. Der Wahlkampf war müde gewesen. Jetzt versah man seine Bürgerpflicht oder verweigerte sich. Die vorherrschenden Gefühle blieben Überdruß und Ratlosigkeit.

Das Auszählergebnis am Abend des 14. erbrachte dann kaum eine Überraschung. Das Mehrheitsvotum für die Bürgerlich-Konservativen wurde abermals bestätigt. Die PDS, Nachfolgeorganisation der ehemaligen Staatspartei SED, büßte erneut an Stimmen ein. Sachsen, das noch zwei Generationen zuvor als überwiegend „rot", nämlich linkssozialistisch, bekannt gewesen war, erkor sich eine geradezu triumphale CDU-Majorität, was auch bedingt wurde durch die Existenz eines einigermaßen überzeugenden Spitzenkandidaten. Kurt Biedenkopf, ehedem Kohl-Mitstreiter, inzwischen heimlicher Kohl-Gegner (was freilich den Wählermassen kaum bekannt war), hatte sich bereits 1989 als Hochschullehrer für die Universität Leipzig zur Verfügung gestellt. Dieser scheinbar selbstlose Einsatz für die von der Geschichte benachteiligten Deutschen wurde ihm jetzt prächtig honoriert.

Biedenkopf blieb nicht der einzige Spitzenkandidat aus den alten Bundesländern. In Mecklenburg-Vorpommern, Thüringen und Sachsen schickte die westdeutsche Sozialdemokratie Politprominenz aus ihren Reihen ins Rennen, aber es handelte sich erkennbar um Verlegenheitsvorschläge, und vor allem wurde die Partei durch das Negativ-Image von Oskar Lafontaine belastet, dem, nicht zu Unrecht, der Ruf anhing, daß ihm die deutsche Einheit ziemlich gleichgültig sei.

So holte den einzigen SPD-Sieg bei diesen Landtagswahlen in Brandenburg Manfred Stolpe, ein gestandener DDR-Mensch. Er war bis dahin ein führender Kopf der evangelischen Kirche gewesen, er war ausgebildeter Jurist, er hatte politische Erfahrungen sammeln können und sammeln müssen im Umgang mit der alten Staatsmacht. Kirchenintern galt er eher als Taktiker und Opportunist, aber das zählte wenig im Vergleich mit jenen virtuosen politischen Wendehälsen, die von den anderen Parteien aufgeboten worden waren.

So ist dann auch die von ihm geführte Landesregierung unter den fünfen die einzige geworden, die noch in den übrigen Ressorts über einige Sachkompetenz verfügt. Darin zeigt sie sich sogar jener in Biedenkopfs Sachsen überlegen. Die übrigen drei neuen Bundesländer können selbst im Amte des Ministerpräsidenten bloß Männer vorweisen, die es im deutschen Westen bestenfalls zum Stadtdirektor gebracht hätten.

Mit dem 14. Oktober 1989 hörten zugleich die bisherigen Bezirke als Verwaltungseinheiten zu bestehen auf. Sie waren 1952 eingerichtet worden, durch das Regime von Walter Ulbricht. Ihr Zweck war es, jedwede Autonomie-Befürfnisse von historisch gewachsenen Territorien auszulöschen und den von Berlin aus betriebenen Zentralismus zu begünstigen.

Die Hauptstadt-Diskussion bewegte auch sonst für eine Weile die Gemüter. In Mecklenburg-Vorpommern trug das hanseatische Rostock seine entsprechenden Ansprüche vor, aber der Landtag entschied sich dann mehrheitlich für Schwerin. In Brandenburg bewarben sich Potsdam, Cottbus und Frankfurt an der Oder, bis Potsdam den Zuschlag erhielt. Völlig unumstritten war dieses Problem eigentlich nur in Sachsen gewesen, wo der Hauptstadt-Anspruch der ehemals königlichen Residenz Dresden niemals angefochten worden war und wo man sich, in Anlehnung ans benachbarte Bayern, dem man sich auch ideologisch verbunden wähnte, jetzt außerdem den Zusatznamen Freistaat verlieh, was zwar politisch überhaupt nichts bewirkte, aber viel Originalität verhieß. Sachsen-Anhalt wurde unmittelbar nach 1945 von Halle aus regiert, nunmehr jedoch, nach einer leidenschaftlich geführten Hauptstadt-Debatte, kehrte die Funktion in die ursprüngliche Provinzial-Kapitale Magdeburg zurück.

Die Landtagswahlen vom Oktober 1990 gerieten zu einer förmlichen Generalprobe für die Bundestagswahl im Dezember, und genau so wurden sie weithin verstanden. In den eigentlichen Wahlgebieten lagen inzwischen ein reichliches Vierteljahr Erfahrungen mit der neuen Währung und zwei Wochen Erfahrungen mit der staatlichen Einheit vor, und was immer man sich von beiden Ereignissen ursprünglich erhofft haben mochte, es hatte sich nur zu Teilen realisiert.

Zwar, die Geschäfte waren nun besser gefüllt, und darunter gab es Waren, nach denen man sich vierzig Jahre lang geradezu verzehrt hatte. Zugleich schnellten die Preise empor, und im Umgang mit den neuen Unternehmern, die jetzt ins Land drängten, zeigte man sich häufig unerfahren und ziemlich hilflos. Das harte Geld in der Tasche, hatte man sich während des Sommers auf die internationalen Autobahnen begeben, um den bisher bloß als Traumziel begriffenen Ländern am nördlichen Mittelmeer zuzustreben. Man produzierte dabei reichlich Verkehrsunfälle, man ließ sich neppen und brachte mit seiner touristischen Absenz die heimische Fremdenindustrie in die Krise. Die westliche Klientel, auf welche die Hoteliers zwischen Ostsee und Erzgebirge gehofft und auf die sie sich eingerichtet hatte, war überwiegend ausgeblieben: Zu dürftig wirkte der angebotene Komfort, zumal angesichts der durchweg überteuerten Preise.

Die Leute hatten eine neue soziale Erfahrung namens Arbeitslosigkeit zu erlernen. Marode Betriebe schlossen, andere bauten ab und schickten ihre Belegschaft in die Kurzarbeit. Auch die Landwirtschaft war längst in eine fundamentale Krise geraten. Weiterhin geschah es, daß besonders aktive, fachlich gut ausgebildete Arbeitskräfte ihre alten Regionen verließen und in die besser ausgestatteten westlichen Bundesländer strömten, nur daß dergleichen nun keine alarmierenden Schlagzeilen mehr produzierte, da es sich inzwischen innerhalb des einen und einheitlichen deutschen Staats- und Wirtschaftsgebietes vollzog.

Die Immobilienhaie waren unterwegs. Bis zum 2. Oktober hatte es Anweisungen der amtierenden DDR-Regierung gegeben, die den Verkauf und Erwerb von Grundbesitz ausschließlich innerhalb der DDR und durch deren Bürger zuließen. Aber schon seit Jahresbeginn operierten fleißig die Strohmänner, es waren Vorverträge geschlossen worden, und wer die entsprechenden Anzeigen in den Zeitungen richtig zu lesen verstand, hatte bereits im Frühjahr über die Zukunft einer Immobilie grenzüberschreitend entscheiden können.

Seit zwei Wochen geschah dies offen und zuweilen mit beträchtlicher Brutalität. Hinzu kamen die immer deutlicher werdenden Konflikte betreffend die Eigentumssituation auch außerhalb von Verkaufsabschlüssen. Menschen, die sich vier Jahrzehnte nicht um ihre Grundstücke gekümmert hatten, weil dies nur mit Beschwernis verbunden gewesen war, reisten nun massenhaft an und drohten Mietern mit Räumungsklage, Hausbesitzern mit Enteignung. Die Leute in der ehemaligen DDR begannen zu begreifen, daß die D-Mark nicht bloß stabile Kaufkraft bedeutete, sondern daß sie insgesamt monetärer Ausruck eines Wirtschaftsgefüges war, von dem sie sehr wenig wußten und auf dessen Mechanismen sie überhaupt nicht vorbereitet waren.

Nun existierten verschiedene politische Parteien im Land, die dergleichen immer wieder warnend prophezeit hatten und die sich durch die inzwischen eingetretene Wirklichkeit vollauf bestätigt sehen durften. Hätte man nicht erwarten können, daß sie ein entsprechendes Echo bei den Wählern erführen?

Nichts davon geschah. Die Leute setzten weiterhin mehrheitlich auf eben jene Kräfte, die für die eingetretenen Veränderungen mitsamt den ökonomisch-sozialen Konflikten standen. Es schien eine Art von instinktiver Kollektivabsicht zu herrschen, dieses Tal der Tränen einverständig, rasch und überwiegend klaglos durchschreiten zu wollen.

Wahrscheinlich wird man sagen müssen, daß dies ganz richtig war. Eine sinnvolle politische Alternative existierte spätestens seit dem 3. Oktober nicht mehr. Bezeichnend die Frage eines Leipziger Kindes an seinen Vater zur Wahlurne: „Papi, wenn wir jetzt wieder Onkel Helmut wählen, sind wir dann richtige Wessis?"

Einer der Gründe für solch unerschütterliche Mehrheitsmeinung war wohl auch der Umstand, daß die überkommene Misere aus der realsozialistischen Vergangenheit in Umfang und Gewicht ständig deutlicher wurde. Man hatte viele Details nicht gekannt. Man hatte sie nicht kennen können. Die Situation war insgesamt sehr viel fürchterlicher als lange Zeit angenommen.

Die DDR Erich Honeckers war, sah man nun, an nichts als ihrem ökonomischen Unvermögen gescheitert. Nicht fähig, mit der industriellen Entwicklung in der Welt Schritt zu halten, hatte die sozialistische Kommandowirtschaft Löcher gestopft, indem sie neue aufriß. Die Ausgaben für unproduktive Bereiche wie Bürokratie und Sicherheit waren unverhältnismäßig hoch gewesen. Technische Innovationen fanden nicht statt. Das Überangebot an Arbeitskräften im Land wurde in einer unsinnigen und unprofitablen Vollbeschäftigung versteckt. Ein nicht mehr durchschaubares System der Subventionen machte jede Rentabilitäts-Bemühung sinnlos. Die Schäden der Infrastruktur, die im wesentlichen auf dem Stand der fünfziger Jahre verhielt, wurden unübersehbar. Die Umweltbelastungen waren verheerend und erreichten Spitzenwerte im Weltmaßstab. Dies alles sahen die Leute, da sie nun die anschaulichen Vergleiche selber treffen konnten und keine verlogene Publizistik ihnen mehr die Wahrheit verstellte.

Die materiellen Altlasten der alten DDR hatten immaterielle Altlasten zur Folge. Da sie sich einer hastigen Optik entzogen, wurden sie vielfach nicht wahrgenommen. Die Entwicklung in den Bundesländern wurde von ihnen wenigstens so bestimmt wie durch die katastrophale Ökonomie.

Die Ostdeutschen verhielten sich (und verhalten sich immer noch) sehr viel passiver als ihre westdeutschen Geschwister. Diesen Zustand verdankten sie ihrer Entmündigung durch die alte DDR. Er führte dazu, daß sie insgesamt sehr viel weniger mobil und initiativ waren als erhofft. Auch deswegen griffen die wirtschaftlichen Veränderungen im Land sehr viel langsamer als erwartet. Wenn die Leute, in einer verbreiteten Haltung der Larmoyanz, die dafür Hauptschuldigen anklagten, die, noch immer nicht vor Gericht gestellt, in Untersuchungshaft saßen oder in ihren feinen neuen Wohnungen lebten, so nahmen sie sich bei dieser Anklage regelmäßig aus.

Dabei waren sie Opfer gewesen, wie sie zugleich Mittäter waren, ein jeder von ihnen, und sei es nur durch Stillschweigen. Das alte System hätte nicht so lange halten können ohne ihren Opportunismus. Sie waren es dann auch gewesen, die das alte System gestürzt hatten, was ihnen jetzt erlaubte, aufrecht zu gehen. Darüber vergaßen sie völlig, daß ihre Rebellion schon sehr viel früher hätte erfolgen können, erfolgen müssen, was ihnen wenigstens die Schäden der allerletzten Zeit erspart hätte. Waren die Ungarn und Polen, ihre Nachbarn, ihnen denn nicht längst und beispielhaft vorangegangen?

Aber solche Überlegungen wurden verdrängt, und wie alle Verdrängungen führte das zu Neurosen, zu Lähmungen, zu lähmender Apathie.

Die bestenfalls mittelmäßige personelle Ausstattung der fünf neuen Landesregierungen machte dabei deutlich, was dem Territorium der ehemaligen DDR außerdem fehlte: eine neue politische Klasse, die solchen Namen verdiente. Das zurückliegende eine Jahr parlamentarischer Demokratie, das zum Zwecke der Einübung zur Verfügung gestanden hatte, war, was dies betraf, eher unergiebig geblieben. Die neuen politischen Führerfiguren waren entweder Abkömmlinge des früheren politischen Establishments und von daher moralisch vorbelastet, oder sie entstammten den Bürgerbewegungen aus der Zeit des Umbruchs und hatten nicht viel mehr vorzuweisen als ihren guten Willen und eine zuweilen enervierende Ahnungslosigkeit.

Ende September hatte sich das alte DDR-Zentralparlament verabschiedet, die Volkskammer. Die Sitzungen waren zuletzt recht peinliche Veranstaltungen gewesen, wie auch die letzte DDR-Regierung bloß noch eine Versammlung aus schäbigen Opportunisten und hilflosen Dilettanten gewesen war. Daß die politische Selbstaufgabe der alten DDR so total geriet, ließ sich auch mit solchen Defiziten erklären.

Ein weiteres Defizit kam noch hinzu und wurde offenbar, als man jetzt daran ging, die neuen Verwaltungsstrukturen in den Ländern aufzubauen. Es gab dafür kein qualifiziertes Personal. Weder die neuen Finanzämter noch die neue Gerichtsbarkeit noch die Ordnungs- und Sicherheitskräfte verfügten über geeignete Leute, und der erhoffte Zuzug möglicher Funktionsträger aus den alten Bundesländern blieb überwiegend aus, da die Bezahlung zu schlecht und auch die übrigen Bedingungen zu unattraktiv waren. Ungenügend und Notsituationen allenthalben. Niemand wußte, wie man sie beseitigen sollte.

Gleichwohl gab es zu dieser Art Neuordnung auf Länderebene keine irgend denkbare Alternative. Nicht nur machte das Grundgesetz, dem man beigetreten war, sie erforderlich, sondern es wurde dies auch die letzte kollektive Einrichtung, in welcher der durch seine jüngste Geschichte so gründlich gebeutelte ehemalige DDR-Bürger sich wirklich wiederfinden konnte.

Eine andere gab es nicht. Kommune, Kreis und Land waren das, was ein bißchen Identität bestätigen, ein wenig innere Bindung herzustellen vermochte. Das neue Gesamtdeutschland war dafür viel zu groß und abstrakt, in seinen westlichen Gebieten außerdem zu fern, zu fremd und zu mächtig, als daß man es als natürlichen Raum der eigenen kollektiven Existenz anerkennen wollte. Insofern gerieten die Wahlen vom 14. Oktober, mit denen sich die Länder wiederherstellten, zu einem überlebensnotwendigen Akt der Selbstbehauptung, wie immer das Wahlergebnis dann im einzelnen lauten mochte.

Dem Grundgesetz entsprechend ging die vorher in der DDR zentral geleitete Kultur- und Bildungspolitik in die Zuständigkeit der Länder über. Zusammen mit dem Sport war die Kunst in der alten DDR ein wesentliches und einigermaßen erfolgreiches Mittel der Selbstdarstellung gewesen, mit erheblichen Rückwirkungen noch für das Selbstwertgefühl der Leute im Land. Was war nun davon geblieben, und was würde davon bleiben?

Der Sportbetrieb im Honeckerstaat war eine obszöne Veranstaltung. Versehen mit rigiden Selektionsmechanismen, überreichlich ausgestattet mit materiellen Mitteln aller Art und heftig unterstützt durch unerlaubte pharmachemische Manipulationen, hatte dieser Betrieb im Augenblicke des Bankrotts der SED seine Berechtigung und seine Voraussetzungen verwirkt. Die Clubs machten bankrott oder wurden von westdeutschen Einrichtungen übernommen. Die Spitzensportler gingen für privatkapitalistische Sponsoren an den Start. Einen Breitensport, der diesen Namen verdiente, hatte ohnehin nicht existiert. Was nunmehr auf diesem Gebiete geschieht, bewegt sich im Rahmen eines provinziellen Mittelmaßes. Damit bringt es sich bloß in Übereinstimmung mit den übrigen Zuständen im Land, und es sieht nicht so aus, als ob außer bei den unmittelbar Betroffenen deswegen eine irgendwie geartete Traurigkeit herrsche.

Mit der Kunst verhalten sich die Dinge ähnlich.

Für eine Weile im Herbst '89 hatten die Künstler der damaligen DDR sich in dem Glauben gewiegt, sie hätten den politischen Wechsel im Land durch inständiges Denken und Schreiben konditioniert. Dies war eine ziemlich überhebliche Täuschung. Zuvor aber hatten sie sich in einem Raume bewegen müssen, der bewacht wurde von überängstlichen Zensoren und mißtrauischen Herrschern. Es wurde ihnen dadurch eine Bedeutsamkeit suggeriert, die sie überhaupt nicht besaßen. Die Annahme, durch ein geeignetes Kunstwerk könne losgetreten werden, was im Verständnis der alten Herrschaft die Konterrevolution hieß, wurde so inständig wiederholt, bis auch die Künstler diesem Irrtum erlagen. Er widersprach zwar allen Erkenntnissen von moderner Kunst- und Sozialwissenschaft, aber er hob ein durch ständige Schikanen der Staatsmacht geschundenes Selbstwertgefühl. Außerdem wertete er die Künstler beträchtlich auf in den Augen ihrer Konsumenten.

Das Publikum delegierte an die Kunst seine seelische Not. Die Kunst bedienten das Publikum, indem sie diese Not mehr oder minder deutlich formulierten, also Artikulationshilfe leisteten. Dies bedeutete auch: Die Künste dienten als publizistisches Substrat. Tatsächlich war in DDR-Romanen zu lesen, was DDR-Zeitungen niemals drucken durften. Sie waren damit gewiß näher an der Wahrheit als die DDR-Zeitungen. Die volle Wahrheit lieferten auch sie nicht.

Dies erwies sich spätestens, als die alte Herrschaft stürzte und die Künstler davon erkennbar auf dem falschen Fuß erwischt wurden. Ihre meisten Bekundungen gerieten ziemlich töricht. Ihre Programme und Prognosen bewegten sich weitab der gewandelten Wirklichkeit. Das unter den alten Zuständen ihnen so innig attachierte Publikum wandte sich kopfschüttelnd ab, kündigte die einstige Notgemeinschaft und erlag aufseufzend den bunten Offerten der neuen Konsumgesellschaft, auch den ästhetischen. Die frustrierten Künstler hocken seither im Winkel und erfinden Verschwörungs-Theorien.

Soweit die geistige Situation. Sie fällt zusammen mit einer Krise der Institutionen.

Alle fünf neuen Bundesländer sind, verglichen mit den westdeutschen Ländern, bettelarme Habenichtse. Untereinander scheiden sie sich freilich ihrerseits nochmals in arm und besonders arm. Daß die in solchen Zusammenhängen vergleichsweise wohlhabenden Sachsen ihren Theatern und Orchestern mehr Subsidien zukommen lassen, darf jetzt schon als sicher gelten, denn zum einen fließen in Sachsen ohnehin mehr öffentliche Gelder, zum anderen besitzt Kunst in Sachsen außerdem einen touristischen, also wiederum wirtschaftlich ausbeutbaren Aspekt.

Man wird auch in Sachsen manches Theater schließen müssen, und mancher Musiker wird seine Stellung verlieren, da sein Orchester sich auflöst. Was schon für Sachsen unausweichlich ist, wird in anderen, weniger begüterten Regionen, zur sehr viel häufigeren Erscheinung werden. Die für das kleine Gebiet der ehemaligen DDR exorbitante Zahl an eintausend Berufs-Schriftstellern wird sich unter den Bedingungen des freien Marktes unmöglich halten lassen, und von ihren früheren Buchverlagen haben weniger als ein halbes Dutzend eine Überlebens-Chance. Diese traurige Bilanz ließe sich beliebig fortsetzen, wüßte man nicht, daß vieles von dem, was jetzt wegbricht auf kulturellem Gebiet, eher mittelmäßig oder schlecht war und zusätzlich diskreditiert wird durch die peinliche politische Hilfswilligkeit der Promotoren. Die öffentlichen Gelder, mit denen die alte DDR die Künste gefüttert hat, lagen beträchtlich über den allgemeinen wirtschaftlichen Möglichkeiten des Landes und haben anderswo gefehlt, auch auf kulturellem Gebiet. Der traurige Zustand der alten Städte erzählt von den skandalösen Unterlassungen in Sachen Denkmalspflege. Daß Gelder, die jetzt dem Erhalt der Bausubstanz von Quedlinburg zugute kommen, dem Quedlinburger Theater entzogen werden mit dem möglichen Resultat, daß dieses Theater demnächst schließt, läßt sich am Ende nicht gut anfechten.

Gefragt, was denn die alte DDR in das neue Gesamtdeutschland einzubringen habe, sagte eine bekannte Bürgerrechtlerin: Ihre Menschen. Diese Antwort klingt fast gemeinplätzig, aber sie ist sehr wahrhaftig. Aus der alten DDR verbleiben der neuen Bundesrepublik die Menschen: nicht weniger, aber auch nicht mehr.

Freude ohne Götterfun- ken

Als um 0 Uhr am 3. Oktober die DDR aufhört zu existieren, nach 45 Jahren Teilung die deutsche Einheit vollzogen ist, krachen Böller, fließt der Sekt, erklingt das Deutschlandlied. „Ein Traum wird Wirklichkeit", hat Helmut Kohl zuvor in die Fernsehkameras gesagt, aber vielen wirkt das Symbolische des Staatsaktes aufgesetzt und pompös, fast wie eine nationalreligiöse Weihe. Überall in Deutschland feiern die Menschen, heiter, friedlich und eher besinnlich. Die wunderbare ehrliche Freude, das Glück des November '89 ist verflogen. Zu viel Streit hat es um die Modalitäten der Einheit gegeben, zu viel Sorgen machen sich die neuen Bundesbürger um ihre Zukunft. Außerdem wird der Betrachter das Gefühl nicht los, daß jeder Satz der Politiker schon auf den 2. Dezember zielt, die Einheitsfeier schon ein Teil des Wahlkampfes ist. Freude? Sicher. Aber keine Götterfunken.

Die letzten Einheitssozialisten

Drinnen gedenken Abgeordnete von Volkskammer und Bundestag der Opfer des 17. Juni 1953 — draußen recken sich die Fäuste, sind die Gesichter haßverzerrt: Einige hundert Anhänger der PDS haben sich vor dem Ostberliner Schauspielhaus zusammengefunden, um gegen die Wiedervereinigung zu demonstrieren. „Keine Wiedervereinigung", „Gegen den Ausverkauf der DDR" und „Keine Enteignung der PDS" lauten ihre Parolen, einen menschlicheren Sozialismus fordern sie und stehen damit ziemlich allein. Zwar ertönt in beiden deutschen Staaten längst nicht überall nur Einheitsjubel, aber die Konzepte der gewendeten ehemaligen Staatspartei der DDR werden dadurch nicht beliebter. Immer weniger Menschen bringt die PDS auf die Straße. Auch der erhoffte Zuspruch bei der Bundestagswahl im Dezember 1990 bleibt aus. Die SEDNachfolgepartei kommt in Ost und West zusammen auf enttäuschende 2,4 Prozent.

Der letzte Zapfen- streich der Ehrenwache

Das Gedränge der Schaulustigen ist groß, als zum letzten Mal der preußische Stechschritt aufs Pflaster knallt vor Schinkels Neuer Wache „Unter den Linden", von der DDR den „Opfern des Militarismus und Faschismus" gewidmet. Am 4. Oktober übernimmt Bundesverteidigungsminister Stoltenberg das Kommando über die ehemaligen Nationale Volksarmee, unterstellt wird sie als Bundeswehrkommando Ost dem Generalleutnant Jörg Schönbohm. Was für eine Wandlung: Die Soldaten, die nicht mal ein Jahr zuvor noch den Kampf gegen den Klassenfeind gelobten, müssen nun einem General des früheren Gegners gehorchen. Und bald kommt für viele von ihnen die Rückkehr ins zivile Dasein. Von den etwa 60 000 Berufs- und Zeitsoldaten der ehemaligen NVA sollen bis Ende 1991 25 000, später weitere 10 000 entlassen werden.

Der schwarze Block läßt grüßen

Die Parole ist aggressiv, die Stimmung aufgeheizt, aber noch bleibt alles friedlich bei der Demonstration, die der Republik ihre Freude über die Vereinigung ein klein wenig trüben soll. 15 000 Gegner eines „Großdeutschland", wie sie sagen, haben sich zum Protestmarsch durch Berlin zusammengefunden. Das aggressive Auftreten der Demonstranten findet seine Entsprechung am Straßenrand. Dort, vor allem unter den Noch-DDR-Bürgern, werden Rufe nach „Arbeitslager" laut. Sie werden stärker, als am Abend etwa 1000 Autonome auf dem Alex eine Straßenschlacht mit der Polizei anzetteln. „Alle abschießen, die ganzen Chaoten", tönt es mitten ins Getümmel. Wie als Antwort zerstechen Randalierer einem BMW mit DDR-Kennzeichen die Reifen.

Der Mahner

Richard von Weizsäcker, der sechste Präsident der Bundesrepublik, ist der erste Präsident aller Deutschen nach dem 2. Weltkrieg. Aber als er beim Festakt in der Berliner Philharmonie am 3. Oktober auf das Podium kommt, ist ihm weder Stolz noch Genugtuung anzumerken. In seiner Rede holt Weizsäcker nach, was viele im schnellen Vollzug der Einheit schmerzlich vermißt haben: Nachdenklichkeit. Der Bundespräsident dankt ausdrücklich allen, „die in der DDR den Mut aufbrachten, sich gegen Unterdrückung und Willkür zu erheben". Und den Bürgern der alten Bundesrepublik schreibt er eine Mahnung ins Stammbuch: „Sich zu vereinen heißt teilen lernen."

Der Warner

Mit Auschwitz hätten die Deutschen das moralische Recht auf die Einheit verloren, sagt Günter Grass mitten in den Trubel der Debatten um die Modalitäten der Vereinigung. Grass steht nicht allein. Viele Intellektuelle befürchten, die Wiederherstellung der nationalen Einheit setze den unseligen deutschen Chauvinismus wieder frei, der Gewinn der vollen Souveränität sei die willkommene Gelegenheit, sich aus der Schuld des Völkermordes herauszustehlen. Unbequeme Gedanken, die im Deutschland eines Helmut Kohl noch nicht mal eine öffentliche Diskussion, sondern nur Unverständnis und Entrüstung auslösen.

Kein Deutschlandlied vom NeuStuttgarter

Als die Kapelle die Nationalhymne der Bundesrepublik anstimmt, bleiben seine Lippen stumm, senkt er den Blick. Matthias Sammer, vormals Auswahlspieler der DDR und jetzt beim VFB Stuttgart unter Vertrag, mag sich an die neuen Symbole nicht so schnell anpassen. Wie er tun sich gerade viele DDR-Sportler schwer, die Vereinigung zu akzeptieren. Auf dem Gebiet des Sports war der zweite deutsche Staat, abgesehen vom Fußball, ja wahrlich eine Macht, der Bundesrepublik weit überlegen. Kein Wunder, daß bei den Sportlern das Nationalbewußtsein stärker ausgeprägt ist. Ein zwiespältiges Erlebnis muß es für Matthias Sammer sein, am 19. September mit der bundesdeutschen Nationalmannschaft gegen die Schweiz anzutreten. Sympathisch eigentlich, daß seine Lippen noch stumm bleiben. Wendehälse gibt es schon genug.

Neue Länder, neue Sponsoren

Eine wie Katrin Krabbe braucht sich keine Sorgen zu machen. Sie ist die schnellste Sprinterin Europas und dazu noch ein ausgesprochen erfreulicher Anblick. Solche Sportler läßt der Westen nicht verkommen. Der eine Sponsor sorgt fürs Auskommen, der andere für den Mercedes 190 E. Bei der Europameisterschaft in Split hat Katrin Krabbe noch einmal drei Goldmedaillen für die DDR geholt, im vereinten Deutschland ist sie alsbald die „Sportlerin des Jahres". Aber längst nicht bei allen Vorzeige-Athleten der DDR geht der Übergang genauso reibungslos. Im Westen müssen sie um ihren Rang vor allem bei der Sportförderung erneut hart kämpfen. Wo Katrin Krabbe locker vorwegsprintet, beginnt für viele ihrer Kollegen ein aufreibender Hindernislauf.

Späte Genugtuung für den Querdenker

Was macht Kurt Biedenkopf wohl mehr Freude: der Jubel seiner Sachsen oder daß ihn Helmut Kohl, sichtlich genervt, im Wahlkampf unterstützen muß? Die zwei haben einige Rechnungen miteinander zu begleichen. Schon als CDU-Generalsekretär hat Biedenkopf, wie Kohl 1930 in Ludwigshafen geboren, seinem Parteivorsitzenden das Leben schwergemacht. Was Kohl ihm mit Degradierung heimzahlte. Nun ist der quirlige Professor nach erfolglosen Versuchen in Nordrhein-Westfalen zurück auf der politischen Bühne: als sächsischer Ministerpräsident, gewählt mit dem Traumergebnis von 53,8 Prozent. Und gleich geht der Ärger wieder los. Obwohl der Kanzler im Bundestagswahlkampf die Losung „Keine Steuererhöhungen" wie ein Glaubensbekenntnis verkündet, prescht Biedenkopf vor: Ohne Steuererhöhung gehe es nicht. Er wird zurückgepfiffen, hat aber sein Ziel erreicht — seine neuen Landsleute lernen ihn als versierten Kämpfer gegen die Übermacht der alten Republik kennen. Ein besonderes Vergnügen wird ihm gewesen sein, daß der Dresdner Landtag beschließt, das neue Bundesland „Freistaat Sachsen" zu nennen. Schon weil das beim Kanzler besondere Erinnerungen weckt.

109

Der letzte Akt der „Defa"

Ein LPG-Vorsitzender wird ans Kreuz genagelt, was eine Wasserstoffblondine nicht davon abhält, ihm an die Wäsche zu gehen. Und das alles vor dem Bildnis von Josef Stalin — auf einem Misthaufen. Ein Anschlag auf die Geschmacksnerven ist der letzte Film der „Defa" in Babelsberg, „Das Land hinter dem Regenbogen" soll er heißen. Man kann darüber streiten, ob Babelsberg gerade dieses Ende verdient hat, die alte Metropole des deutschen Films, wo einst die Dietrich und die Garbo, Fritz Lang, Billy Wilder und Erich von Stroheim gedreht haben. 2200 Menschen haben hier zuletzt gearbeitet, in der Requisite vermodern eine Million Teile, im Fundus 170 000 Kostüme. Großes Kino entstand hier, der letzte Akt ist immerhin angemessen scheußlich.

111

Neue Mützen für alte Köpfe

Der Polizeipräsident Georg Schertz kommt persönlich zum Fototermin, als die Ostberliner Vopos in die Kluft der Westberliner Schupos gesteckt werden. Wenigstens äußerlich sollen die neuen Kollegen den alten Hütern der freiheitlich-demokratischen Grundordnung angeglichen werden. Kenner sind freilich nicht zu täuschen. Ein Westberliner Polizeirat: „Die sind dikker, rauchen alle und sehen älter aus." Auch die Bürger lassen sich vom neuen Outfit nicht beeindrucken. Wer zu Honeckers Zeiten Polizist war, bekommt jetzt den ganzen Unmut der Bevölkerung zu spüren. Autorität haben die Neu-Schupos keine, Ausbildung, Ausrüstung und Bezahlung sind schlecht. Dabei ist die Kriminalität drastisch angewachsen, ebenso die Unfallrate. Schöne Aussichten. Unterdessen reiben sich die Polizei-Oberen der alten Länder die Augen: „Erst im direkten Vergleich mit den ehemaligen Vopos erkennen wir zum ersten Mal, wie gut unsere eigenen Leute sind."

Erblast und Mitgift

Von Thomas Leinkauf

So schnell werden die Ostdeutschen ihre Vergangenheit nicht los. Dabei schien es in den Revolutionstagen des Herbstes fast, als würden wir ihr Lichtjahre enteilt sein.

Mit einer Leichtigkeit, die noch immer Staunen läßt, brach das Volk damals so etwas wie einen scheinbar für ewig festgeschriebenen Gesellschaftsvertrag. Die Staatspartei hatte sich darin verpflichtet, für eine florierende Wirtschaft, einen gewissen Wohlstand und soziale Sicherheit der Menschen zu sorgen; das Volk, zumindest seine Mehrheit, sich dafür in die Begrenzungen der persönlichen Freiheit zu schicken. Die meisten hatten sich abgewöhnt, viel zu fragen, wie es mit Wirtschaft, Umwelt und Demokratie im Lande bestellt sei. Erst als die Eingriffe in die eigene Freiheit unerträglich wurden, verweigerte das Volk das stille Übereinkommen.

Das war kein nüchternes Abwägen von Für und Wider, es war eine Revolution der Gefühle, kaum des Verstandes. Als das Gefühl, anders leben zu wollen, die Massen ergriff, wurde es materielle Gewalt.

Nur schnell, schnell fort mit dem Alten, skandierten die auf den Straßen in der Hoffnung, endlich besser leben zu können. „Nie wieder Sozialismus", forderten sie und glaubten noch, 40 Jahre DDR einfach abwerfen zu können wie eine alte Jacke.

Eine Minderheit dachte in den Versammlungen der Stuben und Cafés derweil darüber nach, welche Mitgift man in die gemeinsame Zukunft einbringen könnte: gesunde Glieder der Wirtschaft, unberührte Landschaften und pappelgesäumte Chausseen, Solidarität, entstanden aus gemeinsam gelebtem Mangel, den scheinbar so souveränen, unblutigen Sieg über die ungeliebte SED und die Staatssicherheit, bewältigt geglaubte deutsche Geschichte... Vor allem die gerade gewonnene Selbstbestimmung des Volkes. Gut leben wollten die auch, aber sie wollten noch mehr, etwas wirtschaftlich, ökologisch und politisch Neues gestalten, das anders sein sollte als in der DDR und anders als in der Bundesrepublik.

Die einen wie die anderen hat dieses nachrevolutionäre Jahr desillusioniert. Die Linnen der Mitgift sind fadenscheiniger, als die einen erhofften. Leben wie die Wessis ist auch erst mal vertagt. Und „unser Vaterland" sind wir noch lange nicht los.

Nur ächtzend und stöhnend kam das Land übers Jahr, drohte beinahe täglich unter der Last des wirtschaftlichen und politischen Erbes zusammenzubrechen. Was unter den Konditionen eines eingemauerten Wirtschaftens noch recht und schlecht funktionierte, erweist sich unter zu schnell geöffneten Grenzen als todkrank. Im Januar des Jahres eins nach der Revolution erreichte die Industrieproduktion schon nicht mehr das Dezemberniveau, im ersten Quartal lag sie nur knapp über dem von 1985. Allein den Wert der in diesem Zeitraum ausgefallenen Produktionen in der Schwerindustrie bezifferte eine Studie von Ökonomen mit rund 2,2 Milliarden Mark. „Eine solche Summe erschlägt uns alle", resignierte schon damals einer der Autoren.

Streiks und mangelnde Kooperation führten schon kurz nach der Maueröffnung zu diesen Ausfällen, Zehntausende zog es weiter nach Westen. „Die Übersiedler verderben unser ganzes Konzept", klagte Sebastian Pflugbeil, Gründungsmitglied des Neuen Forum und unter Modrow Minister. „Wir haben die Leute zusammenbekommen gegen die Stasi, gegen Stalinismus. Es war so leicht, den Stöpsel rauszuziehen und den Haß abzulassen. Aber konstruktiv zu denken, etwas Neues zu entwickeln, das war eine unmenschliche Aufgabe, das haben wir nicht geschafft."

Die leitenden Wirtschaftsexperten der SED hielten währenddessen noch an der Idee fest, nur acht der 150 DDR-Kombinate mit weitgehenden unternehmerischen Freiheiten auszustatten, der Rest sollte wirtschaften wie gehabt. Nur zögerlich und gegen zähen Widerstand kam marktwirtschaftliches Denken in Gang.

Als dann die ersten Giftschleudern der Nation dichtgemacht wurden, weil die Regierung ihren Betrieb nicht mehr verantworten konnte — die Kupferhütte in Ilsenburg, die Kupfer- und Silberhütte in

Hettstedt, die Viskosefaserproduktion in Wolfen und wichtige Teile der Aluminiumerzeugung in Bitterfeld —, wurde die Luft besser, aber das Klima auf dem Arbeitsmarkt noch katastrophaler. Nach westlichen Wasser- und Luftnormen hätte man schon damals die halbe Schwerindustrie zumachen müssen. Dann wären es eine Million Arbeitslose gewesen. Vieles an diesem Dilemma war hausgemacht. Jetzt rächten sich die unter planwirtschaftlich-zentralistischen Vorzeichen begangenen Sünden der DDR. Die großen Kombinate — zusammengeballt in den 80er Jahren, erwiesen sich, als die Türen des Treibhauses geöffnet wurden, als nicht resistent. Sie sollten, so hatten es die SED-Ökonomen beschlossen, das Rückgrat der Volkswirtschaft sein. Fast spielend wurde der Wirtschaft das Rückgrat gebrochen.

Bitter rächte sich jetzt auch das ideologische Dogma vom Sozialismus ohne Privateigentum. Es fehlte der private Mittelstand, der 1972 in einer letzten großen Welle enteignet worden war. Und es fehlte den Ostdeutschen Unternehmergeist, um in der Marktwirtschaft bestehen zu können. In jahrzehntelanger sozialistischer Kommandowirtschaft, wo Eigeninitiative und eigenes Denken wenig gefragt waren, war er abhanden gekommen.

Anderthalb Jahre nach dem Fall der Mauer und gut fünf Monate nach der Vereinigung scheint die wirtschaftliche Gesundung der DDR in weite Ferne gerückt. Zwar verzeichnet die Statistik inzwischen gut 200 000 Neugründungen — Imbißbuden vor allem und Reisebüros —, aber noch immer sterben Betriebe. Autoindustrie, Schiffbau, Mikroelektronik, Textil- und Chemieindustrie, Erzbergbau — kaum ein Zweig ist von der Pest verschont. Die Zahl der Arbeitslosen und Kurzarbeiter ist in Millionenhöhe gestiegen.

Nur langsam lernen die Ostler Kapitalismus. Als die Börse kurz nach dem Fall der Mauer eine „Wiedervereinigungshausse" zündete, sagte man ihnen, das „zweite deutsche Wirtschaftswunder" mache sich auf den Weg. Die Politiker hatten den hoffnungsweckenden Vergleich mit dem westdeutschen Wirtschaftsboom der Nachkriegszeit schnell bei der Hand. Das wollte man hören in der gebeutelten DDR, Wunder haben auch nach vierzig Jahren Marxismus-Leninismus nichts von ihrer Anziehungskraft verloren. „Keinem werde es nach der Vereinigung schlechter gehen" — das klang gut. Die Schäfchen im Osten waren ja wenig geübt im Verstehen der Sprache der Politik. Spätestens als der ostdeutsche Finanzminister seine eigene Rechnung für die Hochzeitsfeier auf den Tisch legte und dafür gehen mußte, hätten sie den Finanzkollaps voraussehen können.

Die Sorgen der Menschen dürfen nicht zu falschen Weichenstellungen in der Politik führen, weil das den wirtschaftlichen Aufschwung gefährde, läßt man die Ostdeutschen jetzt, da das deutsch-deutsche Heu eingefahren ist, wissen und desillusioniert sie damit noch ein Stück. Der vermeintlich soziale Akt, die Mieten niedrig halten, sei in Wirklichkeit unsozial, weil er den Mangel an Wohnraum verlängert, sagt einer der „fünf Weisen". Niedrige Energiepreise seien keine soziale Errungenschaft, weil sie zu Energieverschwendung führen und umweltbelastende Erzeugung der Energie fördern. Garantierte Arbeitsplätze würden Subventionen auffressen, die anderswo dringend gebraucht werden. Schnelle Lohnsteigerungen schließlich führten zu weiterer Massenentlassungen.

Auch wenn das stimmen mag, der Bürger ist nicht bereit, freiwillig soziale Einbußen als Preis der Freiheit zu akzeptieren. Wer eine akzeptable Wohnung hat, denkt eher über die Mietkosten nach als über die Wohnung, die dem anderen fehlt. Die Sicherheit des eigenen Arbeitsplatzes ist dem einzelnen wichtiger als das Problem, wie der Staat seine Verpflichtungen finanziert. Und wieviel heute in der eigenen Lohnkasse klingelt, dürfte den, bei dem es noch klingelt, mehr interessieren als das Gespenst Massenentlassung im allgemeinen. Längst hat der Kapitalismus die vermeintliche Solidargemeinschaft DDR gesprengt, und Egoismus bestimmt zunehmend das Denken und Handeln der Ostler.

Beklagen wir uns nicht, was hatten wir denn für andere Chancen als die Vereinigung, geht jetzt das Gespräch in den Kaufhallen und Kneipen. Über kurz oder lang wären die Ostdeutschen nicht nur weiter nicht nach Spanien gefahren, sondern wären am Dreck im eigenen Lande erstickt.

Noch stehen die Pappeln an den Chausseen, ist manche Landschaft fast unberührt. Aber was ist solche Mitgift gegen das schleichende ökologische Gift? Töpfers Beamte, ist zu lesen, haben erschreckende Statistiken ausgewertet, die das Gesundheitsministerium der ehemaligen DDR gesammelt hat. Rund 1,5 Millionen Ostdeutsche trinken danach stark mit Nitraten belastetes Wasser, das sind fast 10 Prozent der Bevölkerung. Besonders stark betroffen sind Sachsen und Sachsen-Anhalt. Der in der Bundesrepublik gültige Grenzwert wird bis zum Sechsfachen überschritten. Leidtragende sind vor allem die Säuglinge, deren Blutbild durch das Salz der Salpetersäure zuweilen sogar lebensbedrohlich verändert wurde. Wußten wir das nicht?

Umweltschutz, wußten wir, ist Verfassungsauftrag und überließen die Sache dem Staat. „Im Interesse des Wohlergehens der Bürger sorgen Staat und Bürger für den Schutz der Natur", stand in der Verfassung der DDR. Die Reinhaltung der Gewässer und der Luft sowie der Schutz der Pflanzen und Tierwelt und der landwirtschaftlichen Schönheiten der Heimat sind durch die zuständigen Organe zu gewährleisten und sind darüber hinaus auch Sache jedes Bürgers, hieß es in schönem Amtsdeutsch. Aber wer Daten sammelte, diskutierte, veröffentlichen wollte, mußte vor allem in den 80er Jahren mit Repressionen durch die Staatssicherheit rechnen. Die SED-Führung ließ sich ihre ehrgeizigen Wirtschaftspläne nicht durch „kleinliche Umweltdiskussionen" vermiesen. Null-Wachstum kam nicht in Frage, weil das ganze Konzept der Einheit von Wirtschafts- und Sozialpolitik, auf dem der Gesellschaftsvertrag mit dem Volk baute, ohne Wachstum geplatzt wäre.

Ökologisch bestimmtes Wachstum aber war nicht zu bezahlen. In der Gegend um Espenhain habe sich die Zahl der an Atemwegserkrankungen leidenden Kinder von 1974 bis 1989 bei abnehmender Kinderzahl mehr als verdoppelt, erfahren wir jetzt. Besonders berüchtigt bei Medizinern der ehemaligen DDR sei das sogenannte „Pirna-Syndrom", benannt nach der sächsischen Industriestadt. Was Erwachsene mit Müdigkeit, Glieder- und Kopfschmerzen peinigt, führt bei Neugeborenen zum zeitweiligen Aussetzen wichtiger Funktionen des Gehirns. Ursache des Syndroms ist Schwefelkohlenstoff, der besonders bei der Viskoseproduktion anfällt.

Wir wissen jetzt auch, daß 36 Prozent der Ostdeutschen in Gebieten leben, die nach Einschätzung der Töpfer-Behörde unzulässig hoch mit Schwefeldioxid belastet sind. 10 Prozent wohnen in Regionen, in denen der in der früheren DDR gültige Grenzwert für SO_2 dauerhaft um das 2,5fache überschritten wurde. Das Gas entsteht bei der Verbrennung von Braunkohle, und die wird fast überall noch verfeuert. Knapp 90 000 Tonnen Schwefeldioxid, 38 000 Tonnen Staub und 13 000 Tonnen Stickoxide gingen allein in Bitterfeld Jahr für Jahr in die Luft.

Mancherorts, etwa in Freiberg, Eisleben, Helbra oder Ilsenburg, sind Gemüse und Futtermittel mit dem Hundertfachen des normalen Bleigehalts belastet. Wer in der Nähe bleiverarbeitender Betriebe lebt, hat das Blei im Blut.

30 000 Flächen hat das Umweltministerium ausgemacht, die — teilweise als wilde Mülldeponie genutzt — total verseucht sind. Die Bundesrepublik exportierte ihr Müllproblem jahrelang in die devisensüchtige DDR. Millionen Tonnen Hausmüll jährlich, Hunderttausende Tonnen Sondermüll. Gegen harte Valuta wurde Westmüll auch verfeuert. Rund 170 Millionen Mark soll die DDR noch 1989 am Müllexport verdient haben, schätzungsweise eine Milliarde Mark in den vergangenen zehn Jahren. Unbekannt noch ist der Zustand des Bodens in den sowjetischen Garnisonen. Wahrscheinlich ist er ausnahmslos verseucht.

Mulde, Pleiße und Saale wälzten tonnenweise Gift in die Elbe. Jährlich mußten sie mindestens 100 Tonnen Arsen, 150 Tonnen Chrom, 20 Tonnen Quecksilber, 250 Tonnen Kupfer, 100 Tonnen Blei mitschleppen. In Werra und Weser kommen auf einen Liter Wasser ein Eßlöffel aus dem thüringischen Kalibergwerken stammendes Salz. Die Flüsse sind tot.

Man liest es wie eine der alten Wirtschaftsstatistiken und glaubt, nicht betroffen zu sein. Was können wir schon tun, denkt — schon wieder — die schweigende Mehrheit. Die Revolution hat da wenig geändert. Jetzt muß die ökologische Diskussion zwar nicht mehr in die kleinen Zirkel in den Seitenschiffen der evangelischen Kirche. Jetzt können wir über vieles öffentlich reden und schreiben, und das Bewußtsein der ökologischen Erblast ist möglicherweise gewachsen. Aber wie damit fertig werden, weiß immer noch keiner so genau. Die meisten Schlote rauchen noch, noch fließen Gifte in die Flüsse, noch rollen die stinkenden Autos über die Straßen, und der Müll wird nicht weniger. Würde die umweltverzehrende mitteldeutsche Industrie stillgelegt werden, gäbe es vermutlich die nächste Revolution. „Wir wissen nicht, wohin", sagt die Frau aus dem Ort bei Bitterfeld. Nach dem Aufruhr sei die Stimmung wieder gleichgültig. Und die Menschen hätten anderes im Kopf — hohe Preise, drohende Arbeitslosigkeit, überhaupt das neue Leben. Die D-Mark hat die Umwelt schon wieder aus den Köpfen der Leute verdrängt. Fast scheint es, als hätten wir den psychologischen Vorwendezustand wieder erreicht.

Die meisten warten noch heute auf ihren Prinzen. Freistellung heißt jetzt das Zauberwort, mit dem Investoren in die ruinierten Industriestandorte des Ostens gelockt werden sollen. Wer Industrieruinen kauft, muß für die Umweltsünden des Vorgängers nicht haften, haben Töpfer und seine Behörde beschlossen. Die BASF machte in Schwarzheide den Anfang. Bayer AG, Siemens, Ruhrkohle und Daimler-Benz ziehen nach. Für den Staat, versichern Experten blauäugig, gebe es dazu keine Alternative. Die alten Besitzer sind pleite und die neuen wollen Profit machen, nicht aber die Erblasten des alten Systems übernehmen. Kaufen sie die Betriebe nicht, bleiben die Altlasten erhalten, die Werke gehen pleite und weitere Zigtausende wandern zum Arbeitsamt. Wieder diese nüchterne ökonomische Logik, nach der Profit wichtiger ist als Ökologie.

„Hab ich ein Leben im Dreck gelebt, halt ich es auch noch zehn Jahre aus", resignieren die Leute. Und warten schon wieder auf Vater Staat. Der muß die Sanierung bezahlen, aber weiß nicht, wie er die Milliarden zusammenkriegen soll. Die Umweltschützer werden weiter protestieren, Politiker und

Industrielle sich maßvoll bekriegen, die Zeitungen ätzende Berichte schreiben und die Ostdeutschen vorerst mit den Altgiften leben.

Was bleibt also von dieser Revolution außer der D-Mark, Mallorca und Hertie? Was bleibt von der Mitgift, die die 89er in die gemeinsame deutsche Zukunft einbringen wollten? Die Antwort ist offen. Anfangs schien es, als könnte es der Versuch sein, eine neue politische Kultur zu entwickeln, die aus dem ehrlichen Umgang mit der eigenen Vergangenheit entsteht. Die westdeutsche Geschichtsbewältigung ist ja wahrlich kein Ruhmesblatt, und die Chance war groß, es diesmal besser zu machen.

Der erste Akt ging noch gut. Fast über Nacht wurden Stasi und SED-Führung entmachtet. Der Sturm auf die Zentrale der Staatssicherheit in Berlin am 15. Januar 1990 besiegelte das Schicksal der „Firma". Was dann aber schnell folgte, war ein elendes bürokratisches Gezerre um Gebirge von Akten, waren endlose Diskussionen um Einsicht oder Nichteinsicht in die Papiere, peinliche Volkskammersitzungen, täglich neue Enthüllungen über Offiziere im besonderen Einsatz und inoffizielle Mitarbeiter der Staatssicherheit — Schnur, Böhme, de Maizière. „Geblieben ist ein Klima der Verdächtigungen, der Spitzeleien und Denunziationen, in denen die Kleinen gejagt und die Großen laufengelassen werden. Macht hat wieder zu Macht gefunden", konstatiert enttäuscht ein Stasiauflöser der ersten Stunde.

85 000 hauptamtliche Mitarbeiter hatte die Staatssicherheit, 108 000 sogenannte inoffizielle Mitarbeiter. Allein in der Zentrale in der Berliner Normannenstraße lagern 100 000 laufende Meter Akten, davon 20 000 Personen-Dossiers. Wer hat die 130 Aktenmappen von Erich Loest angelegt? Wer hat gefoltert, erpreßt, denunziert? Dieses Jahr hat uns darüber keine Auskunft gegeben, und vermutlich wird es auch das nächste nicht tun. Dabei wäre es leicht gewesen, Täter zu ermitteln, da, wo man sie genau kennt. Aber es geschah wenig, fast nichts. Die DDR kann eigentlich gar kein Unrechtsstaat gewesen sein, weil niemand wegen einer Unrechtshandlung verurteilt wurde, bemerkt Johannes Gross sarkastisch.

Am Beginn einer neuen Periode der deutschen Geschichte fand die Auseinandersetzung mit der Vergangenheit wieder nicht statt. Die am Rhein hatten wohl, nachdem das große Ganze getan war, mit Blick auf die eigenen Verstrickungen wenig Handlungsbedarf. Den Politikern an der Spree fehlte es, von Ausnahmen abgesehen, an Mut, Moral, persönlicher Reife. Sie bevorzugten statt der Auseinandersetzungen einen fragwürdigen inneren Frieden. „Dann gäbe es keine Nachbarn, Freunde oder Kollegen mehr, dann gibt es Mord und Todschlag", wendete Lothar de Maizière gegen die Einsicht in die Stasi-Akten ein. Die Prognose zeigt zumindest an, welches Maß an Verdrängung die Ostdeutschen aufbringen müßten, um von der eigenen Vergangenheit absehen zu können.

Dem Volk wurde auf diese Weise die Auseinandersetzung mit der eigenen Vergangenheit wieder einmal erspart, denn wo keine Täter sind, gibt es nur Opfer. Dann ist die Frage müßig, ob sich denn noch irgend jemand für die vergangenen Zustände zuständig fühlt. Die Mehrheit würde vermutlich jede Schuld von sich weisen.

Merkwürdig wäre das schon. Wir haben doch hier gelebt, vieles erlebt, manches durchlebt. Wie kommt es, daß es zeitgemäß scheint, allerorts Unschuld für sich zu reklamieren?

Verdrängung von Schuld, wie wir sie jetzt erleben, ist kein spezifisch deutsches Phänomen, sondern hängt mit unserer Entwicklung innerhalb der Industriezivilisation zusammen. Während des letzten Jahrhunderts ist immer nur Funktionalität und Effizienz honoriert worden, nie moralisches Verhalten, Standhaftigkeit und Charakter. Das war und ist in der bürgerlichen Gesellschaft so, vor allem aber in der pseudosozialischen. Von Stalin stammt das am tayloristischen System orientierte Bild von Menschen als Rädchen und Schräubchen in einem großen Getriebe. Wo sie gebraucht werden, versucht eben jeder, Rädchen und Schräubchen zu sein. Günter Kunert führt das in einem Beitrag zu der skeptischen Frage, ob in dieser Welt überhaupt noch etwas zu retten sei. Denn um etwas zu retten, müsse jeder einzelne mehr Standhaftigkeit und Zivilcourage, mehr Beharren auf moralischen Grundsätzen einbringen. Ist auch das die Erklärung für das Scheitern der vielen guten Vorsätze dieser deutschen Revolution?

Der Blick auf die eigene Vergangenheit steht zur Begutachtung frei. Er zeigt, daß wir uns die Bedingungen des Aufbruchs nicht aussuchen konnten, nicht die materiellen, nicht die subjektiven. Niemand hatte die Macht, sie beliebig zu verändern. Er läßt uns aber auch — noch immer — die Chance, zu erfahren, wer wir eigentlich sind. Das ist wenig, Moral und Charakter entstehen daraus noch nicht. Und es ist viel, weil wir dies, in und nach dieser Revolution, nicht taten. Unser Leben aber wird es kaum verändern.

Mehr Erblast als Mitgift, die die Ostdeutschen in die deutsche Zukunft einbringen, dürfte das Urteil nach diesem Jahr lauten. „Die Menschen machen ihre eigene Geschichte", bemerkte Karl Marx einmal, „aber sie machen sie nicht aus freien Stücken, nicht unter selbstgewählten, sondern unter unmittelbar vorgefundenen, gegebenen und überlieferten Umständen. Die Tradition aller toten Geschlechter lastet wie ein Alp auf dem Gehirn der Lebenden."

Werden wir den Alp jemals los?

Eine trügerische Idylle

Die Straßenränder nicht begradigt, die Alleebäume im vollen Grün und nicht, wie im Westen, der größeren Sicherheit wegen abgeholzt. Eine Fahrt auf der Landstraße 195 bei Wittenberge ist wie eine schöne Zeitreise. Die auf Dauer beschwerlich wird: Die Straßen sind voller Schlaglöcher. Selbst die ehemaligen Transitstrecken, noch das Beste des Straßennetzes, haben nicht entfernt den Stand einer westdeutschen Autobahn. Der Zustand des Eisenbahnnetzes ist eher noch schlechter und damit die Verlagerung des Gütertransports auf die Schiene derzeit kaum möglich. 240 Milliarden wird der Ausbau der Straßen kosten, schätzen Experten, 60 Milliarden der des Schienennetzes. Zur Zeit hat sich eine unheilvolle Mischung zusammengebraut: Die Verkehrsdichte hat erheblich zugenommen, die neuen Bundesbürger sind mit ihren neuen BMWs, Opels und VWs in einen PS-Rausch verfallen, die Straßenkapazität und -sicherheit reicht aber bestenfalls für die Zweitakter. Und so ist der dramatische Anstieg der Verkehrsunfälle nicht verwunderlich.

Eine Schlamm- schlacht gegen die Natur

Ein Horror-Szenario direkt vor den Toren der Lutherstadt Wittenberg: In 35 Hektar große Becken fließen täglich gewaltige Mengen karbidhaltige Emulsionen und andere Abwässer der Düngemittel- und Pestizidfabrik Piesteritz. Wenn der Schlamm sich absetzt, wird er ausgebaggert und auf freiem Feld zu Halden aufgeschüttet, und der Regen kann die Gifte ungehindert ausspülen. 100 000 Kubikmeter Chemiekloake fließen — natürlich ungeklärt — als Überlauf in die Elbe und überdüngen den Fluß mit Phosphaten und Stickstoff. Die Kosten einer Sanierung sind nicht absehbar. Und die Schäden an Natur und Menschen erst recht nicht.

121

Eine Pro- duktion mit großer Zu- kunft?

„Carbonisiertes Trinkwasser" füllt die Bergbrauerei Riesa in Flaschen ab, damit wenigstens die Säuglinge nicht mit dem Wasser vergiftet werden, das aus dem Hahn kommt. In etwa tausend Ortschaften werden Familien mit Kleinkindern auf diese Weise versorgt. Der Wassernotstand hat in einigen Teilen der ehemaligen DDR apokalyptische Ausmaße angenommen. Fast zwei Drittel der neuen Bundesbürger werden nach Angaben von Umweltminister Töpfer „zeitweilig oder ständig" mit Wasser versorgt, das weit über die gültigen Höchstgrenzen mit Nitraten, halogenierten Kohlenwasserstoffen und Bakterien verseucht ist — und das nur allzuoft stinkt. Verwunderlich ist das allerdings nicht: Allein in Dresden fließen täglich 180 000 Kubikmeter Abwasser nahezu ungeklärt in die Elbe, in ganz Ostdeutschland sind überhaupt nur 58 Prozent der Haushalte an Kläranlagen angeschlossen.

Es riecht nach Tod und Verderben

Das Gift ist mit Händen zu greifen, es hängt in der Wäsche, legt sich auf Bäume, Häuser und auf die Atemwege. Bei Smog-Wetter in Leipzig steigt die Zahl der Todesfälle bei kränklichen älteren Bürgern um 30 Prozent an. Das belegt eine Untersuchung des DDR-Gesundheitsministeriums, die bis zur Wende geheim bleiben mußte. Sie vermerkt ebenso, daß die Dauerbelastung mit Schwefeldioxid im Erzgebirge bei Kindern Wachstumsstörungen, schlechte Blutwerte und verminderte Abwehrkräfte zur Folge hat. Kinder aus dem Bitterfelder Raum, der dreckigsten Region Mitteleuropas, sind im Durchschnitt schmächtiger und kleiner als Altersgenossen aus anderen Teilen der DDR. Andernorts verzeichnen die Ärzte verstärkt Neurosen, Leukämie, Hautkrebs, Asthma. Bis Industrie und Energiewirtschaft grundlegend saniert sind, gilt vor allem für Familien mit Kindern: bloß schnell weg hier!

125

Strandgut der Ver-einigung

So hat der Magdeburger sich den Start ins neue Deutschland wohl doch nicht vorgestellt: als Stammgast auf dem Arbeitsamt. Aber die Statistik spricht gegen ihn. Im März waren in der DDR 14 000 Menschen arbeitslos gemeldet, Anfang Juni 100 000, Ende November schon 589 000. Im selben Monat war die Zahl der Kurzarbeiter auf fast 1,8 Millionen angestiegen, und für 1991 sagen die Wirtschaftsinstitute wenig Erfreuliches voraus: 1,5 Millionen Arbeitslose im Jahresdurchschnitt, eine Quote von annähernd 20 Prozent. Während der Westen an der deutschen Einheit klotzig verdient, die Zahl der Arbeitslosen deutlich abnimmt, zahlt der Osten nicht nur die Zeche von vierzig Jahren Planwirtschaft, sondern auch die einer schnellen Vereinigung, in der für Schonfristen und Sozialverträglichkeit kein Platz blieb. Was hatte Kanzler Kohl doch verkündet: Im vereinigten Deutschland werde es niemandem schlechter gehen als vorher. Hoffentlich hat der Magdeburger Arbeitslose ihm nicht geglaubt. Dann ist wenigstens die Enttäuschung nicht so groß.

Rechter Terror in der U-Bahn

Gegen die Aggressivität der Skinheads mit ihren Knüppeln und Messern sind die Vietnamesen hilflos. In die Ecke gedrängt, wehren sie sich mühsam gegen die Angriffe. „Deutschland säubern" heißt das grausame Spiel, das Banden Ostberliner Skins in der U-Bahn spielen. Der Rechtsradikalismus und die Hooligans sind die Kehrseite eines Staates, in dem Antifaschismus und Völkerfreundschaft von Staats wegen verordnet waren. Erste Meinungsumfragen zeigen dagegen ein erschreckendes Maß an Ausländerfeindlichkeit in der ehemaligen DDR: Jeder vierte Schüler und Lehrling ist „gegen Ausländer", jeder fünfte wünscht sich Deutschland in den Grenzen von 1937.

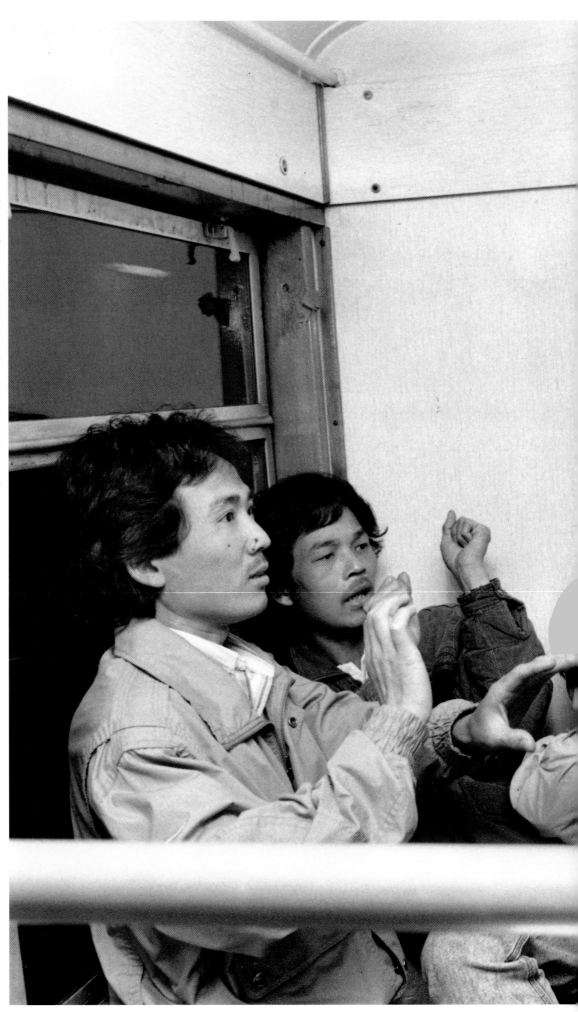

128

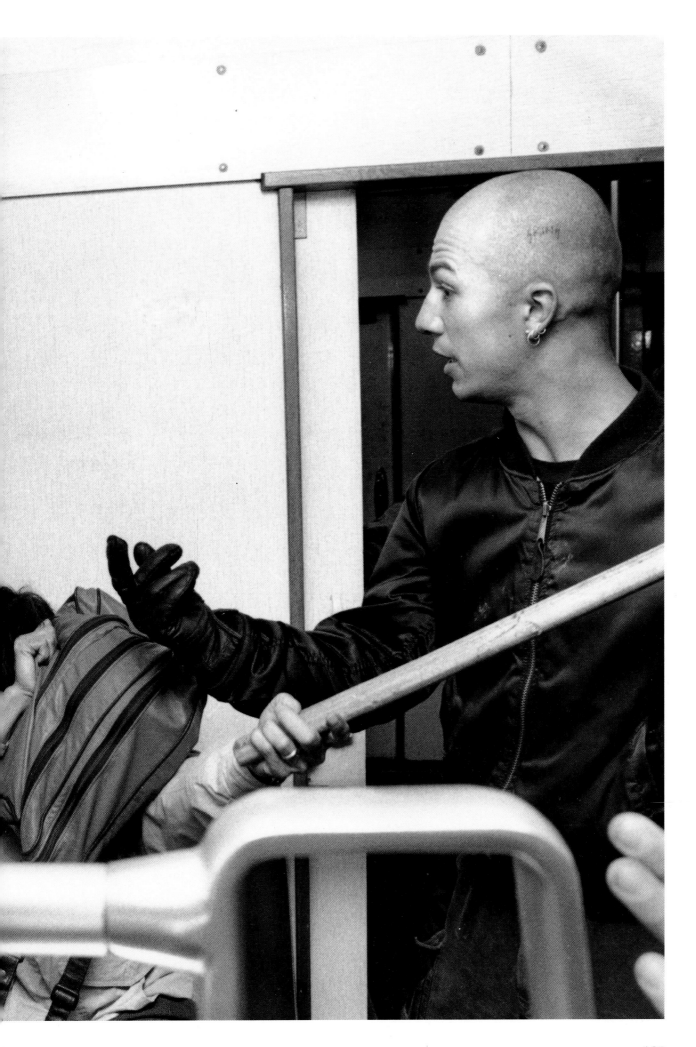

Wie viele zerstörte Leben lagern hier?

Unzählige Aktenberge finden die Bürgerkomitees zur Auflösung der Stasi auch in der Leipziger Dienststelle des ehemaligen „Ministeriums für Staatssicherheit" vor, Zeugnisse einer paranoiden Sammelwut. Fassungslos stellen die Komitees fest, daß nichts durch das engmaschige Netz der offiziellen und vor allem inoffiziellen Spitzel fiel, kein Freundestreffen, kein Westkontakt, keine aufmüpfige Rede. War eine Person erst einmal ins Fadenkreuz der Stasi geraten, blieb über sie nichts mehr geheim. Aber jetzt sind die Akten zu Waffen geworden, die sich gegen ihre ehemaligen Herren richten: Die Denunzianten sind genauso gründlich vermerkt wie die angeblichen Verfehlungen ihrer Opfer.

Von der Vergangenheit eingeholt

Schnur, Kirchner, de Maizière, Böhme — noch im Februar 1990 liest sich diese Aufzählung wie der Beginn eines „Who's who" der Politik in der DDR. Als ersten trifft es Wolfgang Schnur, den Vorsitzenden des Demokratischen Aufbruchs: Kurz vor den Volkskammerwahlen wird seine jahrzehntelange Spitzelarbeit für die Stasi aufgedeckt. Es ist der Beginn einer spektakulären Reihe von Enttarnungen, der im Lauf des Jahres auch die Karriere von Kirchner, Böhme und zuletzt die von de Maizière zum Opfer fallen (der Fall de Maizière ist nicht restlos geklärt). Die Einzelheiten sind höchst unappetitlich; sie zeigen, wie vollkommen die Stasi die DDR durchseucht hatte. Nicht zufällig sind es gerade die Spitzen der Opposition, die als inoffizielle Mitarbeiter der Stasi zugearbeitet haben: Gerade ihre Kontakte waren dem Regime höchst willkommen — und entsprechende Entlohnung wert.

Pfarrer Eppelmann und Parteifreund Schnur

CDU-Parteifreunde Kirchner und de Maizière

SPD-Genossen Brandt und Böhme

132

Warum läuft dieser Mann frei herum?

Davon träumen viele: Wie Alexander Schalck-Golodkowski am schönen Tergernsee zu wohnen und des Sonntags an exklusiven Geschäften vorbeizuflanieren. Der Mann ist ein Phänomen. Zu Honekkers Zeiten war er der größte Geldschieber der DDR, hat Kunstschätze verhökert und über zahllose Tarnfirmen seiner „Kommerziellen Koordinierung", kurz „KoKo", Devisen beschafft. Kurz nach der Wende setzte er sich mit Hilfe hoher westdeutscher Politiker ab, saß vier Wochen in Auslieferungshaft und dient seither dem Bundesnachrichtendienst als Informant. Sein neuer Wohnsitz: das gediegene Rottach-Egern. 237 Millionen Mark von Schalcks „KoKo" sind verschwunden, Aktenberge deuten auf etliche Straftaten hin, aber die Ermittlungen gegen den Geldschieber quälen sich dahin. Läßt man die Großen wieder laufen? Weil, wie Gregor Gysi mutmaßt, Schalck zu viel über westdeutsche Politiker weiß?

133

Sie wären so gern noch geblieben ...

... aber schon bald rollen die Wagen Richtung Heimat. Zwar sind die sowjetischen Soldaten in Ostdeutschland nicht besonders gut gelitten, aber der Standort hat eine Menge Vorteile: halbwegs anständige Quartiere zum Beispiel; 700 Mark Sold im Monat für einen Hauptmann, auf dem russischen Schwarzmarkt ein Vermögen. Daheim erwarten die Soldaten schäbigste Unterkünfte, Versorgungsnot und eine unsichere Zukunft. So hat die Bundesregierung als Gegenleistung für den Abzug der Sowjetarmee zugesichert, in der UdSSR 36 000 Wohnungen zu errichten; Kosten: 7,8 Milliarden Mark. Aber das löst nur einen kleinen Teil des Problems. Die Widereingliederung der 500 000 Soldaten und ihrer Angehörigen, die aus der ehemaligen DDR abziehen, wird der Sowjetunion noch eine Menge Schwierigkeiten machen.

135

Ein System wird verramscht

Einst waren sie der ganze Stolz ihrer Besitzer, die langen Mäntel, die Uniformen mit blitzenden Tressen und Pelzkappen, die in der Erfurter Stasi-Zentrale herumliegen. Jetzt können die Symbole eines Regimes als Souvenirs verramscht werden. Sie jagen den Bürgern keinen Schrecken mehr ein. Marx, Engels und Lenin betrachten die triste Szenerie, aber lange werden sie dort auch nicht mehr hängen. Auch sie sind reif für den Flohmarkt.

Die Helden gehen leer aus

Was wurde aus den Revolutionären?

Von Friedrich Schorlemmer

Es ist schwerer, einen Staat aufzubauen, als einen Staat zu zertrümmern. Es ist leichter, ein autoritäres System zu kritisieren, als ein demokratisches System zu errichten. Die Oppositionsbewegung in der DDR hatte nicht die Chance, demokratische Strukturen zu entwickeln, die an die Stelle der autoritären Herrschaft hätten treten können. Die einzelnen Personen der Opposition in der DDR, sofern sie nicht resigniert dieses Land nach und nach verlassen haben, waren im wesentlichen Individualisten. Was sie sagten und taten, taten sie ganz auf eigenes Risiko. Hätten sie sich mit anderen schon früher zusammengeschlossen und eine demokratische Bewegung organisiert, wären sie mit Sicherheit von „der Sicherheit" zerschlagen worden. So ist in der DDR die Opposition im wesentlichen durch einzelne Personen repräsentiert worden, die sich kaum Gedanken gemacht haben über die Frage, wie sie denn im Falle eines Zusammenbruchs des Systems selber die Regierungsgeschäfte und die Aufgabe der Gestaltung hätten übernehmen können. Die Machtfrage zu stellen war wirklich die Existenzbedrohung für den, der sie stellte. Jeder, der hier leben und bleiben wollte, umschiffte sie und stellte sie stets implizit. Aber die Oppositionellen waren somit weder innerlich noch äußerlich auf eine „Machtübernahme unter demokratischen Bedingungen" vorbereitet. Zum anderen waren die meisten von ihnen eher an einer grundlegenden Erneuerung als an einer Annullierung der Deutschen Demokratischen Republik interessiert. Ihre geopolitischen und historischen Überlegungen hatten sie dahin geführt, sich nicht wieder ein Großdeutschland zu wünschen. Die Teilung anzunehmen war ein Teil der Annahme historischer Schuld. Aber die Idee einer Konföderation blieb lebendig, nicht die Idee einer Wiedervereinigung. Das Stichwort „Wiedervereinigung" erschien ihnen geradezu als eine gefährliche politische Illusion. Und schließlich haben sich fast alle Kräfte aus der Opposition überhaupt nicht mit den ökonomischen Problemen als letztlich entscheidenden politischen Problemen beschäftigt. Insgesamt herrschte eine große ökonomische Naivität. Dies hing auch damit zusammen, daß das ökonomische System der Planwirtschaft kaum durchschaubar war. Es konnte nicht ermittelt werden, in welcher Weise von wem und in welcher Höhe die Daten gefälscht waren. Es blieb bis heute ein Geheimnis, wieso dieses Subventionssystem überhaupt hat so lange existieren können. (Merkwürdig ist aber auch, wie sehr sich die westdeutsche Wirtschaft, die Forschungsinstitute und die Politiker über das „moderne Industrieland" DDR getäuscht haben bzw. sich täuschen ließen.)

Nur sehr wenige ahnten, was im Schoße der Deutschen steckte, wenn die Tabus, die mit Macht gehütet wurden, erst einmal gelöst würden. Dazu gehörte die Faszination, die der europäische Westen auf die DDR-Deutschen und die Osteuropäer insgesamt wegen seiner technologischen Überlegenheit und seiner relativ gut funktionierenden sozialen Marktwirtschaft ausgeübt hat. In der Breite des Volkes hatte sich nirgendwo eine wirkliche Auseinandersetzung mit Problemen des Weltmarktes, der Verelendung des Südens und der fortschreitenden Naturzerstörung ergeben.

So stürzen die Freigelassenen nun in die Konsumwelt des Westens und wollen lieber gestern als heute an ihren Segnungen teilhaben. Mit erstaunlicher Geduld werden bisher die Arbeitslosigkeit und die drohende Verödung ganzer Industrielandschaften hingenommen. Irgendwie hofft man immer noch, daß dies bald vorübergehen würde und es ist noch nicht auszumachen, wie diese fast flächendeckende Strukturkrise auf dem Gebiet der ehemaligen DDR bewältigt werden kann.

Die überwiegend intellektuelle Opposition fand in der Breite der Bevölkerung Zustimmung — genau bis zu dem Zeitpunkt, als klar war, daß das SED-Regime keine Chance mehr hat. Jetzt erst wurde deutlich, was das Volk wirklich denkt. Und was da hervortrat, war tumb und in keiner Weise intellektuell.

Der Aufruf „Für unser Land", der an die Selbstbestimmungswünsche der demokratischen Opposition und der ersten Revolutionswochen anknüpfte, wurde zur Bruchstelle zwischen Volk und Intellektuellen.

Die kirchlichen Gruppen und die Gruppen, die unter dem Dach der Kirche zusammen mit kritischen Intellektuellen die Opposition ausgemacht hatten, waren das schlechte Gewissen für das bis dahin so angepaßte und auch kriechende Volk gewesen. Kurzzeitig wurden sie zu Idolen der Revolution, um dann heruntergestoßen zu werden. Die Kriecher konnten nicht akzeptieren, daß es in der Gesellschaft, die zum Kriechen zwang, Menschen gegeben hatte, die aufrecht gewesen waren. Also mußten sie „vom Sockel" gestoßen werden. Die Vorwürfe der Privilegienhascherei galten den einen, die dann als Staatsdichter denunziert wurden und die Stasidurchsetzung galt den anderen. (Welche verheerende Wirkung hat ein allgemeiner Satz, „es könnte noch die halbe evangelische Kirche hochgehen, wenn erst einmal alle Akten geöffnet werden"!)

Die Entthronung der Sprecher der Revolution in der frühen Phase war ein Teil der Selbstentschuldigung der Schweiger. Reiner Kirch hatte ein Gedicht über das Schweigen geschrieben unter dem Titel „Aufschub":

Damit wir später reden können, schweigen wir.
Wir lehren unsere Kinder schweigen, damit
Sie später reden können.
Unsere Kinder lehren ihre Kinder schweigen.
Wir schweigen und lernen alles
Dann sterben wir.
Auch unsere Kinder sterben. Dann
Sterben deren Kinder, nachdem

Sie unsere Urenkel alles gelehrt haben
Auch das Schweigen, damit die
Eines Tages reden können.
Jetzt, sagen wir, ist nicht die Zeit zu reden.
Das lehren wir unsere Kinder
Sie ihre Kinder
Die ihre.
Einmal, denken wir, muß doch die Zeit kommen.
1971

So wird heute über das Schweigen geschwiegen und den Redenden von vorgestern nachgewiesen, daß sie eigentlich nur reden konnten, weil sie besonders privilegiert waren oder sogar von der Stasi dazu beauftragt waren. Dies ist der Versuch, die vierzigjährige DDR-Geschichte nicht aufzuarbeiten. Was jetzt geschieht, trägt neurotische Züge. Stasi-neurotisiert wird nun die DDR dämonisiert.

Die DDR wird zu einen Staat hochstilisiert, in dem man überhaupt nicht leben, atmen oder aufrecht gehen konnte. Jeder Kriecher findet so eine gute Rechtfertigung für sein Kriechen. Jeder sagt einfach: „Sie wissen doch, wie es war. Man konnte doch nicht anders." Die Oppositionellen in der DDR haben sich zum Teil über ihre Akzeptanz im Volk täuschen lassen. Es war erstaunlich, mit welcher Zuhörbereitschaft und Zuhörfähigkeit ein Volk in seiner Feierabendrevolution plötzlich auf die zuvor Gemiedenen hörte und dabei stolz auf sich selber wurde. Die Oppositionsgruppen waren sich nicht klar darüber, daß dies nur so lange funktionieren würde, als der Machtkampf noch nicht entschieden war.

Es ist kein Wunder, daß ein Volk, das rebellierte, als es statt Kaffee Kaffee-Mix gab, aber es einigen wenigen überließ, zu protestieren, als Wolf Biermann ausgebürgert wurde — daß dieses Volk dreizehn Jahre später auch nichts als die D-Mark will und die demokratische Freiheit als Beigabe dieser D-Mark willkommen heißt. Die Freiheit des Gaumens geht allemal vor der Freiheit der Zunge. Dies hatte offensichtlich auch die Führungskader der SED gewußt. So erklärte Horst Sindermann auf einer theoretischen Konferenz der SED in Magdeburg noch 1989, daß der Sozialismus der DDR sich am meisten bewährt habe durch „stabile Preise und höchsten Fleischkonsum". (Konsequent wurde der Osten binnen eines halben Jahres von einem Bockwurst- zu einem Imbißland.)

Die Mitläufer, nun gewendet, wählen, ganz konsequent, die Mitläufer, Gewendete. In der Schnellwäsche der D-Mark sind sie alle gereinigt. Die DDR erlebte ein kurzes Aufflackern von Demokratie als freier Kommunikation, aber davor trat bald die freie Konsumtion in der einen Nation.

Die Durchsicht aller Programme und Einzeläußerungen von Oppositionsgruppen und Einzelpersönlichkeiten aus Kunst, Politik und Kirche ergibt, daß sie von einer grundlegenden Umgestaltung, einer Perestroika in der DDR ausgingen und mit dem Begriff Sozialismus produktiv umgegangen waren. (Wie viele sie damit repäsentierten, war angesichts des Lebens in der Lüge nicht zu ermitteln.)

Auch der Aufruf „Für unser Land" von Stefan Heym und anderen verwendet das Wort „Sozialismus", und dies war wohl die entscheidende Weichenstellung. Dieses Wort war in 40 Jahren so gründlich mißbraucht worden, daß auch seine Erläuterung durch „human" oder durch „demokratisch" nicht mehr verfing. Das Volk fürchtete einen neuen „Ismus". Zum anderen war wohl den Intellektuellen noch nicht hinreichend klar, wie dünn die ökonomische Basis und wie innerlich und äußerlich verkommen das ganze System war, bis es nun heute vollständig am Tropf der Bundesrepublik hängt.

Die allergische Reaktion auf alles, was aus der Zeit der 40 Jahre stammte, blieb groß, bis heute. Diese allergische Reaktion bezieht sich auch auf die Personen, die aus der DDR und ihrer Geschichte keine einfache „Wegwerfgesellschaft neuen Typs" machen wollten, um in eine andere, konsumorientierte Wegwerfgesellschaft zu wechseln. Eine ins Rechts-Konservative und ins Nationale driftende Stimmung wollte dieser Aufruf verhindern und hat sie faktisch gerade verstärkt. Er wollte anknüpfen an die große Gemeinsamkeit des Aufbruchs und wurde zum Fanal des Abbruchs der Gemeinsamkeiten, die im Wahlergebnis des 18. März 1990 jedermann offensichtlich wurden. Die Wahl vom 18. März lediglich ökonomisch zu verstehen wäre zu kurzsichtig. Es war auch eine Entscheidung gegen alles, was mit den Farben Rot und Grün und ihrem Vokabular verbunden war.

Eine Symbolfigur zur Integration und zur Identifikation fand sich in der DDR nicht. Die Art des Bundespräsidenten im Frühjahr 1990, mit der deutschen Problematik umzugehen, war für Menschen ganz unterschiedlicher Grundauffassungen so akzeptabel und überlegen, daß eine entschlossene Suche nach einem „Präsidenten" gar nicht stattfand, zumal der Einigungszug unter Volldampf gesetzt wurde. Das „Laienspielparlament" schloß nach sechs Monaten so, wie es angefangen hatte: mit Stasiverstrickungen. Die DDR fand kein sie integrierendes Subjekt. Ihre zaghafte Identität zerbröselte im Anschlußdruck.

Die Schizophrenie wurde in der DDR zum System. Dieses System institutionalisierte die Lüge, die sich jetzt an uns allen und diesem ganzen Land für Generationen rächt — in der Kanalisation und der Luft, in den Wäldern und Industrieanlagen, in den Schulen und den Gesundheitseinrichtungen. Söhne und Töchter derer, die im Faschismus aufgewachsen waren, lernten nun von ihren Eltern, sich zu arrangieren, um zu leben: „Privat geht vor Katastrophe." Diese Lebensmaxime erweist sich auch unter den neuen Bedingungen als brauchbar.

Wo nun die Vergangenheitsbewältigungsstrategie der Mehrheit heißt: „Vorwärts und alles vergessen", wo Schweigen über das Schweigen zur Devise wird, dort werden die Redenden, die Erinnerungsarbeit mit der schwierigen Differenzierung verbinden, diffamiert. Die psychische Situation in der DDR schwankt mittlerweile zwischen einem gebliebenen Auswanderungswunsch nach Westen, Apathie und Aggressivität. Das Objekt wird noch gesucht. Wenn nicht eine Hoffnung Menschen erfaßt, die sie trägt, wird die Einheit destruktiv ausgehen.

Die Opposionellen von gestern befinden sich in einer paradoxen Situation: Sie konnten sich zwischendurch als „Sieger" wähnen und wurden von der Welt gefeiert als „sanfte Revolutionäre", mit historischen Titeln behaftet, weil es in der deutschen Geschichte erstmalig gelungen schien, daß Deutsche sich von einer Diktatur befreiten, ohne in eine neue Diktatur zu kommen. Sie begannen, sich selber demokratische Strukturen zu geben. Und nun gehören diese „Sieger" plötzlich mit denen zusammen zu den Besiegten, die sie besiegt hatten. Besiegte wurden sie in dem Maße, wie die Mehrheit als Wirtschaftsflüchtlinge mitsamt dem Territorium der DDR in die Bundesrepublik überwechseln wollte. Sie wurden mit dem Leichengeruch des verfaulten Systems behaftet, nur weil sie nicht prinzipielle Gegner einer sozialistischen Gesellschaft gewesen waren, sondern sich offen gegen die grundlegende Pervertierung der großen sozialen Ideen in einer marxistisch-leninistischen Ideogie und gegen das dazugehörige zentralistisch-stalinistische Machtsystem gerichtet hatten. Viele fühlten sich nun wieder denunziert und zwar ausgerechnet von denen, die in den 40 Jahren die 98%ige schweigende Mehrheit dargestellt hatten, die willfährigen Stabilisatoren des Systems. Es war nicht nur die berechtigte Angst, es war auch die Angst vor der Angst, die sklavisch machte.

Die SED regierte mit der Angst, viel weniger mit offenem Terror. Fast jeder hatte im totalen Staat Angst, etwas zu verlieren. Wie wird ein Volk damit fertig? Es flieht in eine Krankheit: in die individuelle und gesellschaftliche Amnesie über das Verhalten von gestern. (Manche erinnern sich wirklich nicht mehr, welche „inoffiziellen Kontakte" sie zur Staatssicherheit hatten.) Flucht in die Krankheit wird zum Selbstschutz. Dazu gehört, daß die Amnesie zum Normalzustand erklärt wird und als gesundes Verhalten verstanden wird. Da wirkt jede kritische Erinnerung als störend. Die Oppositionellen von gestern sind heute wieder die Störenfriede in der Scheinharmonie der Einheit. Der politische Einverleibungs- und individuelle Schnellanpassungsprozeß an die Bundesrepublik ist auch als ein Versuch zu verstehen, sich den schmerzlichen Lernprozeß zu ersparen.

Eine Öffenlichkeit hatte es in der DDR ebensowenig gegeben wie eine Opposition. Die wenigen, die die kritische Öffentlichkeit im Ansatz repräsentierten, waren im wesentlichen Individualisten, die ihr „Privileg" rechts unterschiedlich nutzten. Einige hatten durch ihre Lebensgeschichte, ihre Kompetenz oder Bekanntheit auch Auftritts- oder Publikationsmöglichkeiten im Westen — und eben dadurch eine gewisse Freiheit gewonnen. Das wird ihnen jetzt häufig als Privileg vorgeworfen, ohne zu unterscheiden, in welcher Weise sie diese Freiheit für die Bürger in der DDR genutzt haben. Schließlich hat Stefan Heym diese Freiheit anders als Anna Seghers, Christa Wolf anders als Hermann Kant, Konrad Wolf anders als Markus Wolf, Prof. Hans Stubbe anders als Manfred v. Ardenne, Silly anders als die Phudys, Wolfgang Mattheuer anders als Fritz Craemer, Barbara Thalheim anders als Kurt

Demmler, Thomas Langhoff anders als Ludwig Güttler, Volker Braun anders als Peter Hacks, Bischof Forck anders als Bischof Gienke . . .

Die Evangelische Kirche wurde zum einzigen, scheinbar schützenden Dach für das offene Gespräch. Die eingeschleusten Stasileute sorgten allerdings dafür, daß es oft beim resignierten Palaver blieb. Die Kirche wollte unter ihrem Dach keine Opposition zulassen und argumentierte bisweilen mit einem Gemisch aus Selbstverständnis, Selbstzensur und Eigeninteresse, stand aber insgesamt zu den Gruppen. Die globalen und lokalen Dimensionen ihrer „Umkehr"-Forderungen finden sich gebündelt in den 12 Beschlußtexten der „ökumenischen Versammlung" (Dresden, April 1989).

Wer zu früh kommt, den bestraft das Leben, aber büßen werden wir es alle. Die Revolutionäre des Herbstes '89 und ihre intellektuellen Sprachgeber kamen zu früh und zu spät zugleich. Stefan Heym, wie Günter de Bruyn, Christa Wolf und Rolf Schneider haben mit ihrem klaren Engagement für die Friedensbewegung Anfang der 80er Jahre tapfer eine Orientierungs-, Schutz- und Aufrichtungsfunktion wahrgenommen, vor allem für die jüngeren Oppositionellen in diesem Land. Eine stille und eine ausdrückliche Koalition gab es mit der Friedensbewegung in der Evangelischen Kirche. „Nachdenken über Christa T." (1968) wie der „König-David-Bericht" (1974) wurden erhellende Zeugnisse fundamentaler Gesellschaftskritik. Auch Stephan Hermlin tat das ihm Mögliche, nicht nur mit dem Symposion „Berliner Begegnung zur Friedensförderung" 1981, auch mit seinem „Abendlicht" (1979). Der Schriftstellerkongreß 1987 mit den Beiträgen von Christoph Hein, Jirij Koch, Helga Königsdorf und Volker Braun brachte die Schriftsteller in eine geistige Führungsposition bei der grundlegenden Erneuerungsbedürftigkeit des Systems. Die Annullierung der DDR oder die nationale Vereinigung spielten hier allerdings keine Rolle, wohl aber Menschenrechte, Demokratie und die Überwindung der ökologischen Krise.

Wer zu früh kommt, den bestraft das Leben, aber büßen werden es alle.

Den „sanften Revolutionären" hat von seiner psychoanalytischen Couch aus ein Psychiater den Vorwurf gemacht, daß sie, statt die Macht mit Gewalt und mit Blutvergießen an sich zu reißen, Reden gehalten hätten. Diese sanften Revolutionäre wollten in der Tat den Weg in die Demokratie ohne menschliche Opfer! Sie nahmen den Satz ernst, daß der, der den Frieden will, Mittel des Friedens anwenden muß, daß der, der die Demokratie will, Mittel der Demokratie anwenden muß, daß der auf die Macht der Argumente vertraut, nicht mit dem Argument der Macht die eigene Macht ergreifen dürfe. Die Krise der DDR ordneten sie in die größere Krise der Welt ein und wollten nicht nur eine Wende in der DDR, sondern eine Wende für Bewußtsein und Verhalten überhaupt. Die erneuerte „DDR" sollte Teil einer sich erneuernden Welt sein, die aus dem Bewußtsein handelt, daß wir nicht so mit der Welt weiter wirtschaften können.

Die ethischen Maximen der Revolutionäre, die mit wunden Augen in die Zukunft sahen und plötzlich eine Chance sahen, einen Wertewandel herbeizuführen und ihm Strukturen zu geben, waren letztendlich tief getäuscht. Sie sind gescheitert an ihrem Menschenbild und an einer Fehlerwartung an Mehrheitsentscheidungen. Die Mehrheit will sich offenbar das Recht nicht nehmen lassen, Fehler selber zu machen. So werden wir vielleicht eines Tages erwachen und weinend sehen, was wir angerichtet haben, indem den alten Gebrechen der SED-Diktatur die neuen Gebrechen der kapitalistischen Wachstumsgesellschaft nur noch hinzugefügt werden. Wir sitzen insgesamt in der Falle des unreflektierten Konsumismus und versuchen, solange es geht, die Nord-Süd-Problematik ebenso zu verdrängen wie den verschleißenden Umgang mit unseren natürlichen Lebensgrundlagen. Das Allgemeinbewußtsein ist tief in der naturverschleißenden Wachstumsideologie des Industrialismus verwurzelt. Die Arbeiter in den Kupferhütten in Ilsenburg, auf der Wismut oder im Bitterfelder Raum hatten sich stets bereit erklärt, unter extrem gesundheitsschädigenden Bedingungen und an umweltvergiftenden Arbeitsplätzen zu arbeiten, wenn es dafür krätige finanzielle Zulagen gab. In derselben Denkweise liegt es jetzt, wenn Menschen bei der möglichen Weiterführung solcher gefährdeten Betriebe vorrangig von Arbeitsplätzen her argumentieren.

Die sanften Revolutionäre und ihre Wortführer haben sich in ihrer Mehrheit wieder auf ihr Metier zurückgezogen; aufs Malen, aufs Dirigieren, aufs Schreiben, aufs Predigen, aufs Forschen. Stefan Heym verarbeitet in seinem Erzählband „Auf Sand gebaut" literarisch, was geschieht. Christoph Hein findet in der Parabel „Kein Seeweg nach Indien" eine bitter-humorige Parabelgeschichte. Kurt Masur dirigiert in New York. Der Dramatiker Heiner Müller adaptiert weiter die großen Stücke Shakespeares — Welttheater vor der permanenten Überlebensbedrohung. Der Bürgerrechtler und Stasi-Auflöser Werner Fischer war schon von Dr. Diestel seines aufhellenden Einflusses beraubt worden. Die Ärztin Erika Drees streitet weiter gegen das Kernkraftwerk in Stendal und ist wieder in der Minderheit. Der sanfte Medizinstudent Arnold, den die Stasi wegen seines Engagements für das Neue Forum in Haft genommen hatte, widmet sich nun seinem Studium. Der Tierpräparator Michael Beleites, der die Brisanz der Wismut mit seiner Schrift „Pechblende" ans Licht gebracht hatte, besonderes Zielobjekt der Stasi wurde, arbeitet in einem Bürgerkomitee zur Auflösung der Stasi und will ein Buch darüber schreiben. Die Malerin Bärbel Bohley ist „einfache Abgeordnete" im Berliner Parlament und wird eine wichtige Minderheitenstimme bleiben. Der Magdeburger Akademiedirektor Hans-Jürgen Tschiche, besonders aufmüpfig schon seit den Sechziger Jahren, schaffte es bis ins Landesparlament. Der Friedensforscher Jochen Garstecki ist zur Katholischen Friedensorganisation Pax Christi nach Frankfurt am Main gewechselt. Der Jurist Rolf Henrich wurde wieder Anwalt und streitet nebenher gegen die neue Vormundschaftlichkeit. Die Psychiaterin Sonja Schröter bemüht sich um die Aufklärung der Verbrechen in der Gefängnispsychiatrie in Waldheim. Der Wissenschaftler Jens Reich forscht weiter und bleibt einer der bestechendsten Kommentatoren unserer Situation. Die Biologin Marianne Dörfler ist für die Ostdeutschen in den Vorstand von Greenpeace gewählt worden. Der Kirchenhistoriker Wolfgang Ullmann wird zum einsamen parlamentarischen Gewissen des demokratischen Aufbruchs in seinem Engagement für eine neue Verfassung. Der Erfurter Probst Heino Falke, Vordenker in weltweiter Perspektive und Verfechter des regimekritischen Konzepts „Kirche im Sozialismus", steht bei der Minderheit derer, die die Volkskirche nicht restaurieren wollen. Der Dresdner Superintendent Christof Ziemer, einer der Hauptinitiatoren der

Friedensbewegung seit 1981, der ökumenischen Versammlung 1988 und des ersten Dialogs nach den Gewaltausschreitungen in den ersten Oktobertagen 1989, reflektiert am konsequentesten die neuen und bleibenden Aufgaben der Bürgerbewegungen, die nicht parteiähnlich werden. Der Physiker Sebastian Pflugbeil, Experte in Energiefragen und engagierter Kritiker einer gefährlichen Atomstromtechnologie in der DDR, Minister in der Regierung der Nationalen Verantwortung, engagiert sich jetzt für die Folgenaufarbeitung des Reaktorunglücks von Tschernobyl. Einzig Manfred Stolpe hat aufgrund seiner Kompetenz und Stellung wirklich Einfluß auf die deutsche Politik in und nach der deutschen Einheit gewonnen.

Die Bundestagsabgeordnetenriege aus der ehemaligen DDR hat nur wenige Köpfe aus der Oppositionsbewegung in sich versammeln können. Ob ihr Einfluß vor der Kamera größer sein wird als hinter der Kamera, oder im Bundestagsausschuß größer sein wird als im Gemeindekleinkreis, muß noch dahingestellt bleiben.

Die Bürgerbewegung in der DDR gibt es praktisch nicht mehr. Die kirchlichen Gruppen befinden sich in einer fundamentalen Krise. Die engagierten Leute aus den Gruppen sind zum großen Teil als Minderheitenvertreter in den Stadt- und Kreisparlamenten. Die „Intellektuellen" haben ihren Dienst getan. Ihre Bücher werden als „Ostbücher" in den Buchhandlungen kaum angeboten und nur von wenigen Käufern nachdrücklich verlangt. Die Theater sind leer geworden. Dafür gibt der Ost-Deutsche jetzt sein gutes Geld nicht aus, schon gar nicht aus einer verpflichtenden Dankbarkeit gegenüber dem, was Künstler in Jahren zuvor für sie als Ventil und Sprachgeber bedeutet haben. Die gegenseitigen Anwürfe weisen auf einen tiefen Graben zwischen Volk und Intellektuellen hin, der nur vordergründig überwunden war, solange die Künstler eine Stellvertreterfunktion hatten. Manches trägt schon Kampagnencharakter.

Das Ressentiment zwischen denen, die denken, daß nur sie denken, und denen, die mit ihren Händen arbeiten und sagen: „Die sollen erst mal arbeiten!", dieses Ressentiment sitzt tief im deutschen Volk. Und dies hatte sich schon die SED nutzbar gemacht, wenn sie Stimmung gegen die Intellektuellen und Künstler machen wollte. Des Volkes

Stimme ist immer leicht gegen die Spitzköpfe zu mobilisieren.

Gescheitert sind in der DDR nicht nur Personen, gescheitert sind alternative Formen einer Politik, die den Herausforderungen am Ende dieses Jahrhunderts entsprechen. Das Parteienspektrum, das aus dem 19. Jahrhundert kommt, wurde auch auf dem Gebiet der ehemaligen DDR installiert. Zugespitzt gesagt: Statt der Autonomie kam das Auto, statt der Emanzipation die Nation, statt des Bedürfnisses nach freier Kommunikation das Bedürfnis nach freier Konsumtion, statt des aufrichtigen persönlichen Wandels die schlitzohrige Wendigkeit, statt der grundlegenden Umgestaltung die schnelle rückwärtsrollende Wende, statt eines einigen Europa das einige Deutschland, statt einer Kultur der Bescheidenheit der Kult der Prosperität, statt des entschlossenen Schutzes der gebeutelten Umwelt die Faszination der Wegwerfgesellschaft, statt der Entwicklung einer Sekundärrohstofferfassung der totale Müllstau, statt der Entfaltung freier eigenständiger Kultur das Hineinstürzen in die amerikanisierte Vergnügungsindustrie der Privatfernsehprogramme, statt der kritischen Aneignung der Erkenntnisse Karl Marx' der unkritische Glaube an den Markt, statt der eigenen Anstrengung die Anpassung, statt differenzierter (Selbst-)Kritik die Tabula-rasa-Wünsche, statt der Überwindung von Ausgrenzung neue Ausgrenzung, statt Aufarbeiten der Erinnerung gesellschaftliche Amnesie, statt der Pazifisierung der Gesellschaft die Kultivierung von Rachebedürfnissen an Einzelnen, statt der entschlossenen Abrüstung die neue Akzeptanz „unserer Bundeswehr", statt des schwierigen Weges der Selbstbestimmung das willige und schmerzlose Sicheinfügen, statt der Brückenfunktion nach Osten die Anklammerung an den Westen, statt der Solidarität mit den Armgemachten der Wunsch nach Teilhabe am Leben der Reichen.

Die alte Opposition in der DDR ist wieder am Anfang — aber diesmal unter den Bedingungen der Demokratie. Und das ist trotz allem ein Glück, das ergriffen werden will.

Mahn- wache für die Stasi- Opfer

Mit Kerzen auf dem Pflaster vor dem Gebäude der Staatssicherheit erinnern Leipziger an die Menschen, denen das Spitzelsystem der DDR ihre Arbeit, ihre Zukunft, ihr Leben zerstört hat. „Sie haben einer ganzen Generation das Leben gestohlen", dieser bittere Satz fällt immer wieder. Wie ein Krebsgeschwür hat sich die Staatssicherheit in die DDR hineingefressen. Jeder kann ein Spitzel sein, ob Bruder oder Freund, Arbeitskollege oder Parteigenosse. Und was die Menschen besonders aufbringt: Auch nach der Wende arbeitet der Unterdrückungsapparat weiter, von der neuen Regierung offenbar gedeckt, mindestens aber nicht behindert. Erst nach und nach erschließt sich das ganze Ausmaß der Verseuchung, etwa als die Zahl der Stasi-Mitarbeiter herauskommt: 103 000 festangestellte und eine auf 100 000 bis 500 000 geschätzte Zahl von Gelegenheitsspitzeln.

145

Die aufrechten Amateure

Die Sorge um ihr Land und seine Menschen trieb Ulrike Poppe, Reinhard Schult, Ingrid Köppe und Rolf Henrich für kurze Zeit in die Hauptrollen der deutschen Geschichte. Als Köpfe der Bürgerbewegung saßen sie am Runden Tisch, trotzten der SED eine Beteiligung an der Regierung ab und übernahmen als politische Amateure Mitverantwortung. Aber ihnen fehlte der Willen zur Macht, die Regierung ganz einfach selbst zu übernehmen, ihnen fehlte die Vision einer anderen DDR. Jetzt rächte sich, daß die kritische Intelligenz sich entweder weitgehend mit der SED arrangiert hatte oder in die Bundesrepublik emigriert war. Als es darauf ankam, gab es in der DDR weder eine charismatische Figur wie Vaclav Havel noch eine faszinierende Idee vom neuen Staat. Dafür gab es — die D-Mark. Dagegen waren die aufrechten Amateure des Runden Tisches machtlos.

Die Symbolfigur wider Willen

Bis heute weiß Bärbel Bohley nicht, weshalb eigentlich immer ihr Name fällt, wenn es um die Bürgerbewegungen geht. Eine Leitfigur zu sein war nie ihr Ziel, aber die Beharrlichkeit ihres Eintretens für die Freiheit in ihrem Staat hat die Malerin eben dazu gemacht: 1983 wurde sie das erste Mal vom Stasi ins Gefängnis geworfen, 1984 war sie Mitbegründerin der „Initiative Frieden und Menschenrechte", 1988 half sie den Verhafteten nach dem Liebknecht-Luxemburg-Gedenkmarsch, 1989 gehörte sie zu den Erstunterzeichnern des Gründungsaufrufes für das Neue Forum. Die Wahlergebnisse waren für sie „eine Katastrophe", aber aufgeben will sie nicht. Ihr Leitspruch: „Soviel Politik wie die Politiker können wir auch."

Der Integrator mit Zukunft

Der Schlips deutet schon auf die neue Aufgabe hin: Musikdirektor in Amerika wird Kurt Masur im September 1991, bei den renommierten New Yorker Philharmonikern. Vor allem Masur, dem Leiter des Leipziger Gewandhausorchesters, ist es zu danken, daß es nach der Montagsdemonstration vom 9. Oktober 1989 nicht zu einem Gemetzel kam. Der von ihm verlesene Aufruf zur Gewaltlosigkeit verhinderte ein Blutbad, zu dem Staatsführung und Polizei schon entschlossen schienen. Eine Zeitlang wurde Kurt Masur daraufhin sogar als neuer Staatspräsident der DDR gehandelt. Aber die Politik war nur ein Intermezzo für den Integrator, der eine Schallplattenaufnahme absagte, damit sein Gewandhausorchester über die politische Lage diskutieren konnte.

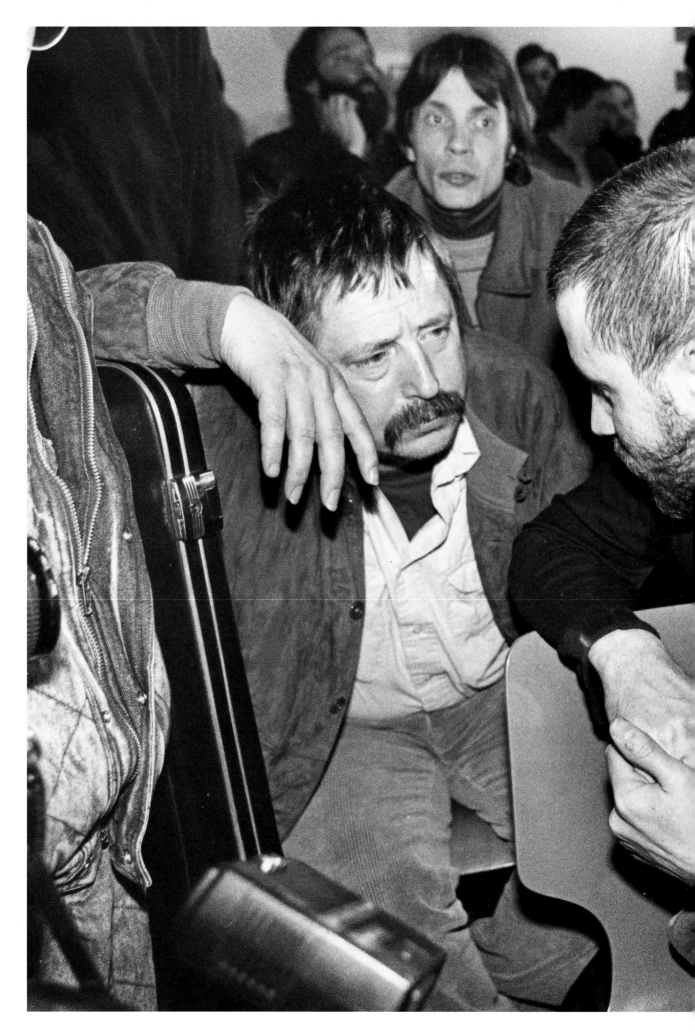

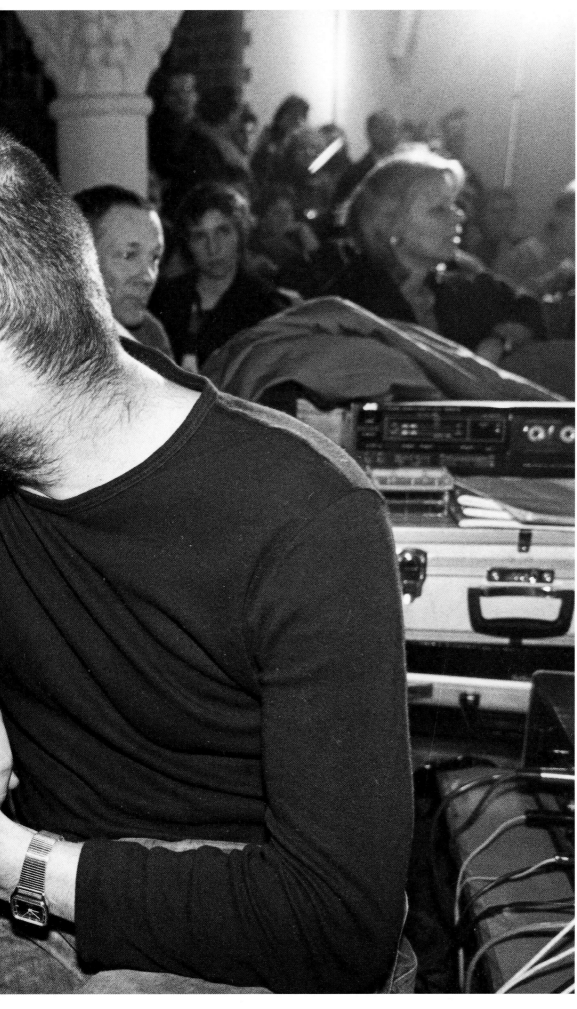

Die ver-
triebenen
Auf-
müpfigen

*Gleiches Schicksal
verbindet, auch Wolf
Biermann und Ste-
phan Krawczyk, der
eine 1976, der andere
1988 aus der DDR
ausgebürgert. Bier-
mann hatte damals
bei einem Gastkon-
zert in Köln allzu Kri-
tisches hören lassen,
Krawczyk im Novem-
ber 1987 in einem of-
fenen Brief an Kurt
Hager, den SED-
Chefideologen, die
Gewährung der Men-
schenrechte gefordert.
Ihre Ausbürgerung
führte jeweils zu einer
Solidarisierung der
Intellektuellen in der
DDR, zu einer Ver-
schärfung der Situa-
tion. Die Vertreibun-
gen von Biermann
und vor allem von
Krawczyk markieren
wichtige Punkte der
Entstehung einer poli-
tischen Opposition.
Für die Künstler eine
späte Genugtuung.*

Der Politiker aus Notwendigkeit

Er habe Hemmungen vor Fernsehkameras, sagt Jens Reich, die Rolle des Volksredners liege ihm überhaupt nicht. Fast schüchtern steht er am Mikro, und nur wer genauer hinhört, merkt, wie präzise und lebendig dieser Mann erzählen kann. Jens Reich, Molekularbiologe von Beruf, ist geradezu der Idealtypus des DDR-Revolutionärs: integer, aufrecht, nachdenklich — nur leider ohne Charisma. Für das Neue Forum saß Reich in der Volkskammer. Mit dem Bedeutungsverlust seiner Bewegung hat er zugleich auch den Verlust einer ganzen Reihe von Utopien hinnehmen müssen. Nur eine ist ihm geblieben: „Mein Enkel soll das Jahr 2050 atmend erleben."

Der beleidigte Nestor

Unbeschreiblicher Jubel brandete auf, als Stefan Heym bei der Demonstration des 4. November 1989 aufs Podium kam. „Das ist der Nestor unserer Bewegung", hieß es. Tatsächlich gehörte der heute 78jährige Heym zu den wenigen Künstlern der DDR, die ihre Kritik am SED-Regime öffentlich gemacht hatten. Er solidarisierte sich 1976 mit Wolf Biermann, wurde aus dem Schriftstellerverband ausgeschlossen und war lange „die bekannteste Unperson der DDR". Aber die rasante Entwicklung der Revolution hin zur deutschen Einheit, der Drang der DDR-Bürger zu D-Mark und Wohlstand brachten Heym in Rage. Er polemisierte gegen das Volk, das nach „Glittertand" strebe, bezog dafür heftig Prügel und zog sich beleidigt aus der öffentlichen Diskussion zurück.

153

Mit ihnen fing alles an

Fast wären sie zu spät gekommen, die Revolutionäre des Herbstes. „In Wahrheit haben wir nämlich eine Fünf-nach-Zwölf-Revolution gemacht", schreibt Rolf Henrich vom Neuen Forum, „und nur um Haaresbreite sind wir der politischen und ökonomischen Katastrophe entgangen." Wie verkommen das Regime schon gewesen sei, hätten die Pläne für die Internierung der Oppositionellen gezeigt, und der Kollaps der Wirtschaft sei jeden Tag zu besichtigen. Wenn man's genau besieht, ist das Neue Forum dann doch noch vom Leben bestraft worden: Die Demonstrierer wollten ja eine menschlichere DDR. Jetzt haben sie eine größere Bundesrepublik mit alten Fehlern und neuen Problemen.

Die Chronik der Ereignisse

1989

August.
DDR-Bürger strömen in die Botschaften der Bundesrepublik in Budapest, Prag und Warschau. Es entsteht eine beispiellose Fluchtwelle.

11. September
Ungarn öffnet die Grenze. Bis zum Monatsende kommen mehr als 24 500 DDR-Bürger über diesen Weg in den Westen.

18. September
Nach einem der traditionellen Montagsgebete in der Leipziger Nikolaikirche formieren sich 1500 Menschen zu einem Protestzug — Auftakt für die „Montags-Demonstrationen" der folgenden Monate.

30. September
Die mehr als 5500 auf dem Gelände der Prager Botschaft kampierenden DDR-Bürger dürfen ausreisen.

7. Oktober
Feiern zum 40. Jahrestag der DDR-Gründung. Staats- und Parteichef Erich Honecker preist die Errungenschaften der DDR, der sowjetische Staatspräsident Michail Gorbatschow mahnt Reformen an. Am Abend demonstrieren Zehntausende gegen das SED-Regime. Polizei und Staatssicherheit prügeln brutal auf die zumeist jungen Leute ein.

9. Oktober
In Leipzig versammeln sich 70 000 Menschen unter der Parole „Wir sind das Volk". Honeckers Einsatzbefehl an die Armee wird nicht erteilt.

18. Oktober
Erich Honecker tritt ab, sein Nachfolger wird der ZK-Sekretär für Sicherheit, Egon Krenz.

7./8. November
Ministerpräsident Willi Stoph und seine Regierung sowie das SED-Politbüro treten zurück.

9. November
Die DDR öffnet die Mauer. Noch in der Nacht stürmen Zehntausende Ostberliner in den Westteil der Stadt. Bis zum Monatsende reisen 13 bis 14 Millionen DDR-Bürger zu Besuchen in den Westen. Bei Postämtern und Banken wird ihnen ein „Begrüßungsgeld" von 100 D-Mark pro Person ausgezahlt.

10. November
Bei einer Kundgebung vor dem Berliner Rathaus Schöneberg prophezeit der SPD-Ehrenvorsitzende Willy Brandt: „Jetzt wächst zusammen, was zusammengehört."

13. November
Der Dresdner SED-Bezirkschef Hans Modrow wird neuer Ministerpräsident. Er erklärt sich zu einer Vertragsgemeinschaft beider deutschen Staaten bereit. Die DDR öffnet 13 weitere Grenzübergänge und hebt die Sperrzonen entlang der innerdeutschen Grenze auf.

15. November
Israels Ministerpräsident Yitzhak Schamir äußert die Befürchtung, nach einer deutschen Wiedervereinigung könne sich der Holocaust wiederholen. Seine Bemerkung führt zu einem scharfen Briefwechsel mit Bundeskanzler Helmut Kohl.

22. November
Die SED schlägt den Blockparteien und den oppositionellen Gruppen Gespräche am „Runden Tisch" vor.

25. November
Der stellvertretende SPD-Vorsitzende Oskar Lafontaine wirft die Frage auf, ob finanzielle Anreize für DDR-Übersiedler noch berechtigt sind oder nicht eher zu einem „Ausbluten der DDR beitragen". Diese Gelder sollten lieber in den wirtschaftlichen Aufbau der DDR gesteckt werden. Lafontaine erntet herbe Kritik auch aus den eigenen Reihen.

28. November
Bundeskanzler Kohl legt ein Zehn-Punkte-Programm zur schrittweisen Wiederherstellung der deutschen Einheit vor. SPD, Grüne und auch die FDP lehnen — nach teilweise anfänglicher Zustimmung — den Plan ab, da er keine Garantie der polnischen Westgrenze enthält.

1. Dezember
Die Volkskammer streicht den Führungsanspruch der SED aus der Verfassung. Sie entschuldigt sich für die Beteiligung der DDR an der Niederschlagung des Prager Frühlings 1968.

3. Dezember
ZK und Politbüro der SED treten geschlossen zurück. Parteichef Krenz verliert alle Parteiämter, am 6. Dezember gibt er auch den Staatsratsvorsitz auf. Mehrere hochrangige Mitglieder der ehemaligen Partei- und Staatsführung — u.a. Honecker, Mielke, Sindermann und Stoph — werden aus der Partei ausgeschlossen, die früheren Funktionäre Mittag, Tisch und Müller wegen Machtmißbrauchs und Schädigung der Volkswirtschaft in Haft genommen.
Der bisherige DDR-Staatssekretär für den Bereich Kommerzielle Koordinierung, Alexander Schalck-Golodkowski, setzt sich an einen unbekannten Ort ab. Er stellt sich am 6. Dezember in West-Berlin und wird in U-Haft genommen.

5. Dezember
Kanzleramtsminister Rudolf Seiters einigt sich mit der Regierung in Ost-Berlin auf einen knapp drei Milliarden D-Mark umfassenden Devisenfonds, der von beiden Seiten gespeist werden und ab 1. Januar 1990 das Begrüßungsgeld ablösen soll. Beide Seiten vereinbaren Reiseerleichterungen.

7. Dezember
Erste Zusammenkunft des Runden Tisches aus Vertretern der fünf ehemaligen Blockparteien und den sieben Oppositionsgruppen. Er empfiehlt freie Volkskammerwahlen am 6. Mai 1990.

8./9. Dezember
Die SED wählt auf einem Sonderparteitag in Ost-Berlin den Rechtsanwalt Gregor Gysi zum neuen Vorsitzenden. Auf einem weiteren Parteitag eine Woche später nennt die Partei sich in SED-PDS (Partei des Demokratischen Sozialismus) um. Ab 4. Februar 1990 heißt sie nur noch PDS.

14. Dezember
Das Europäische Parlament fordert die Bundesregierung zur „unverzüglichen und unzweideutigen" Anerkennung der polnischen Westgrenze auf, um nicht das „Schreckgespenst eines Deutschlands heraufzubeschwören, das seine Grenzen von 1937 fordert". Kohl beharrt dagegen auf seinem Standpunkt, nur ein gesamtdeutsches Parlament könne diese Grenze anerkennen. US-Außenminister James Baker spricht am 15. Dezember von einem „schlechten Stil" Kohls und „schamlosen Wahlkampfmanövern".

15. Dezember
Die DDR-CDU wählt den Rechtsanwalt Lothar de Maizière zum Vorsitzenden. Er bekleidet seit dem 18. November in der Modrow-Regierung das Amt eines Stellvertreter des Ministerpräsidenten.

19. Dezember
Erster Gipfel Kohl-Modrow in Dresden. Hunderttausende bejubeln den Bonner Regierungschef. Mit Modrow vereinbart er Verhandlungen über eine Vertragsgemeinschaft beider deutscher Staaten.

20. bis 22. Dezember
Frankreichs Staatspräsident François Mitterrand spricht sich in Ost-Berlin und Leipzig gegen eine schnelle Wiedervereinigung aus — die nach dem Zweiten Weltkrieg entstandenen Realitäten seien nicht mit einem „Federstrich" zu tilgen.

21. Dezember
Hermann Kant, langjähriger Präsident des DDR-Schriftstellerverbandes, tritt zurück, da er den „physischen und psychischen Druck" nicht länger ertragen könne.

22. Dezember
Das Brandenburger Tor ist 28 Jahre nach dem Mauerbau wieder offen. Kohl und Modrow besiegeln die Öffnung des symbolträchtigen Bauwerks mit einem Händedruck.

24. Dezember
Pflichtumtausch und Visumzwang bei Reisen von Bundesbürgern in die DDR sind aufgehoben. Millionen reisen über die Weihnachtstage in den jeweils anderen deutschen Staat.

1990

3. Januar
Mehr als 250 000 DDR-Bürger protestieren am sowjetischen Ehrenmal in Ost-Berlin gegen Neonazismus und Rechtsradikalismus in der DDR. Zu der Veranstaltung hatte die SED-PDS aufgerufen, nachdem in mehreren Städten der DDR Gedenkstätten mit antisowjetischen und nationalsozialistischen Parolen beschmiert worden waren.

5. Januar
Das Bundesinnenministerium gibt bekannt, daß 1989 insgesamt 343 854 Bewohner aus der DDR in die Bundesrepublik übergesiedelt sind − der höchste Stand seit 1945.

8. Januar
Erste Leipziger Montags-Demonstration im neuen Jahr. Hunderttausend kommen, sie rufen: „Wir sind Deutsche", „Deutschland, einig Vaterland" und „Nieder mit der SED".

9. Januar
Alexander Schalck-Golodkowski wird aus der West-Berliner U-Haft entlassen und gegen den Protest des DDR-Generalstaatsanwalts nicht an die DDR ausgeliefert. Er läßt sich am Tegernsee nieder.

13. Januar
Die am 7. Oktober letzten Jahres in Schwante/Oranienburg gegründete Sozialdemokratische Partei der DDR (SDP) ändert ihren Namen in SPD und bekennt sich zur Tradition der 1946 aufgelösten SPD. Damit kann sie auch Anspruch erheben auf die Vermögenswerte der alten SPD.

15. Januar
In Ost-Berlin stürmen mehrere tausend Demonstranten die Zentrale des Ministeriums für Staatssicherheit, 100 000 demonstrieren vor dem Gebäude. Sie werfen der Regierung Zögern bei der Auflösung des Amtes vor.

16. Januar
Der Generalstaatsanwalt der DDR leitet Ermittlungen gegen Ex-Staats- und Parteichef Erich Honecker und Ex-Stasi-Minister Erich Mielke wegen Hochverrats und Bildung eines verfassungsfeindlichen Zusammenschlusses ein. Der haftunfähige Honecker wird Ende Januar von der Pfarrfamilie Holmer in Lobetal aufgenommen. Ab Mitte April findet er in einem sowjetischen Militärhospital bei Potsdam Unterschlupf.

21. Januar
Dresdens Oberbürgermeister Wolfgang Berghofer und weitere 39 Persönlichkeiten der Stadt verlassen die SED-PDS. In ihrer Austrittserklärung heißt es, die Partei und ihre Führung hätten das Land in „beschämender und unverantwortlicher Weise ruiniert − politisch, wirtschaftlich und moralisch".

23. Januar
Bauarbeiter demontieren am Haus des ZK der SED das fast fünf Meter hohe Parteiabzeichen mit den ineinandergreifenden Händen, die den Zusammenschluß von KPD und SPD symbolisieren sollen.

26. Januar
Die Bundesregierung stellt den Ländern für die Unterbringung von Aus- und Übersiedlern 500 Millionen D-Mark zur Verfügung. Eine Leistungskürzung für Übersiedler lehnt sie weiterhin ab.

28. Januar
DDR-Ministerpräsident Hans Modrow und der Runde Tisch einigen sich auf eine „Regierung der nationalen Verantwortung". Die Wahlen zur Volkskammer werden auf den 18. März vorverlegt.
Bei den Landtagswahlen im Saarland kann die SPD sich um 5,2 Prozentpunkte auf 54,4 Prozent verbessern, Ministerpräsident Lafontaine wird Kanzlerkandidat der SPD.

30. Januar
Modrow erörtert in Moskau mit Gorbatschow die deutsche Frage. Kurz vor Ankunft des Gastes erklärt Gorbatschow, die „Vereinigung der Deutschen" werde „von niemandem in Zweifel gezogen".

1. Februar
Nach seiner Rückkehr aus Moskau legt Modrow sein Konzept zur deutschen Einheit vor. In vier Stufen soll das − militärisch neutrale − „Deutschland, einig Vaterland" mit Berlin als Hauptstadt geschaffen werden. Die Bundesregierung begrüßt den Vorstoß, lehnt aber ein neutrales Deutschland ab.

5. Februar
In Anwesenheit von Bundeskanzler Kohl wird in West-Berlin die konservative „Allianz für Deutschland" gegründet. In ihr schließen sich die DDR-Parteien CDU, DSU und der Demokratische Aufbruch zusammen. In den nächsten Tagen organisieren sich auch die Bürgerbewegungen im „Bündnis 90" und die Liberalen im „Bund Freier Demokraten".

7. Februar
Kohl bietet der DDR die D-Mark an. Bundesbank-Präsident Karl Otto Pöhl und das Deutsche Institut für Wirtschaftsforschung nennen dagegen die baldige Einführung der D-Mark in der DDR eine „sehr phantastische Idee".
Die SPD verlangt von der Bundesregierung erneut die Streichung aller Anreize für DDR-Übersiedler, um den unverminderten Flüchtlingsstrom aus der DDR zu stoppen. CDU/CSU und FDP lehnen die Forderung ab.

8. Februar
Im Tauziehen um die künftige Hauptstadt spricht sich der Bundestagsausschuß für innerdeutsche Beziehungen einstimmig für Berlin aus. Bonns CDU-Oberbürgermeister Hans Daniels dagegen drängt auf Fertigstellung aller insgesamt fünf Milliarden Mark teuren 40 Großbauten des Bundes in Bonn.
Ehemalige Besitzer von Grundstücken und Häusern in der DDR melden ihren Besitzanspruch an, DDR-Bürger äußern zunehmend Angst um ihre Wohnungen.

9. Februar
Als einer der prominentesten Vereinigungsgegner erklärt der Schriftsteller Günter Grass, die „grauenhafte und mit nichts zu vergleichende Erfahrung Auschwitz" schließe einen deutschen Einheitsstaat aus. Sein Standpunkt führt

zu einer Kontroverse mit „Spiegel"-Herausgeber Rudolf Augstein, dem er einen deutsch-nationalen Kurs vorwirft.

10. Februar
Nach einem Blitzbesuch in Moskau sehen Bundeskanzler Kohl und Außenminister Genscher den Weg frei zur deutschen Einheit. Kohl erklärt, der sowjetische Staatschef habe den Deutschen das Recht zugesprochen, allein über ihre Einheit zu bestimmen.

13. Februar
Der zweite Gipfel Kohl-Modrow in Bonn verläuft in kühler Atmosphäre. Der Kanzler verweigert dem DDR-Regierungschef die vom Runden Tisch erbetene Soforthilfe von 15 Milliarden D-Mark. Die DDR-Delegation verläßt verstimmt Bonn.

14. Februar
Block II des Atomkraftwerks Lubmin bei Greifswald wird „aus Sicherheitsgründen" abgeschaltet − Ergebnis der Untersuchungen einer deutsch-deutschen Expertenkommission, die gravierende Mängel festgestellt hatte. Bis Mitte Dezember wird der Druckwasserreaktor sowjetischer Bauart endgültig stillgelegt.

19. Februar
Autohändler in grenznahen Gebieten melden einen Run von DDR-Bürgern auf gebrauchte Westwagen. Der Markt bei Autos bis 4000 Mark sei praktisch leergefegt.
Die Zinsen in der Bundesrepublik klettern auf über neun Prozent.

20. Februar
Die Volkskammer verabschiedet das Wahlgesetz, der Weg zu den ersten freien Wahlen am 18. März ist damit frei.

21. Februar
Mit einer Rede in Erfurt beginnt Bundeskanzler Kohl seinen Einsatz im DDR-Wahlkampf. In den kommenden Wochen tritt er vor Hunderttausenden in allen größeren DDR-Städten auf.

24./25. Februar
In Camp David beraten Kohl und US-Präsident Bush den Weg zur deutschen Einheit. Beide halten daran fest, daß ein geeintes Deutschland Mitglied der Nato bleiben müsse. Differenzen gibt es bei der Frage der polnischen Westgrenze.

27. Februar
Das Ost-Berliner Handelsministerium weist die Gaststätten an, sich Umtauschbelege und Ausweise der West-Gäste zeigen zu lassen. Damit soll unterbunden werden, daß sich Bundesbürger weiterhin mit schwarz getauschtem Geld billig in der DDR verköstigen.

1. März
Die DDR-Regierung beschließt die Gründung einer Treuhand-Anstalt zur Verwaltung von Volkseigentum. Sie soll die 8000 volkseigenen Betriebe mit insgesamt vier Millionen Beschäftigten in Kapitalgesellschaften umwandeln.

2. März
Bundeskanzler Kohl erklärt sich mit einer Garantie der Oder-Neiße-Grenze unter der Voraussetzung einverstanden, daß Polen den Verzicht auf Reparatio-

nen erneuert und den Schutz der deutschen Minderheit in Polen zusichert. Im In- und Ausland stoßen seine Vorstellung auf Ablehnung und Unverständnis. Es kommt zu einer schweren Koalitionskrise. Der Streit wird mit einer Resolution beigelegt, die Polens Grenze garantiert und zwei Tage später den Bundestag passiert.

5. März
Die bundesdeutschen Verlage beginnen mit der Auslieferung von Zeitungen und Zeitschriften in der DDR. Die Blätter werden zum Kurs 1:3 verkauft.

11. März
Die Adam Opel AG kündigt an, im bisherigen Wartburg-Automobilwerk Eisenach künftig jährlich 150 000 „Vectra" zu bauen. VW will im Trabant-Werk Zwickau jährlich bis zu 300 000 „Polos" produzieren. Mercedes-Benz beschließt eine Kooperation mit dem IFA-Kombinat Nutzkraftwagen.

12. März
Der Runde Tisch spricht sich auf seiner letzten Sitzung gegen eine Übernahme des Grundgesetzes aus. Statt dessen hat er umfassende Gesetzesvorlagen für eine gesamtdeutsche Verfassung erarbeitet.

14. März
Wolfgang Schnur, Vorsitzender der „Allianz für Deutschland", gesteht nach tagelangem Leugnen, für die Stasi gearbeitet zu haben, und tritt zurück. An seinen Platz rückt der früher von der Stasi bespitzelte Pfarrer Rainer Eppelmann.

15. März
Die Münchner Allianz AG gibt ihren Einstieg bei der „Staatlichen Versicherung der DDR" bekannt, dem Versicherungsmonopol der DDR.

18. März
Die ersten freien Volkskammerwahlen in der DDR gewinnt überraschend das konservative Wahlbündnis „Allianz für Deutschland" mit 47,8 Prozent der Stimmen. Die SPD muß sich mit 21,8 Prozent begnügen, die PDS wird mit 16,3 Prozent drittstärkste Kraft. Für das „Bündnis 90", in dem sich das Neue Forum und andere Oppositionsgruppen der ersten Stunde zusammengeschlossen haben, stimmen lediglich 2,9 Prozent der Wähler.

20. März
Bonn kündigt an, zum 1. Juli 1990 das Notaufnahmeverfahren für Übersiedler aus der DDR abzuschaffen. Die Zahlung des Überbrückungsgeldes und die Gewährung zinsverbilligter Darlehen sollen entfallen. Im neuen Jahr sind bereits über 144 000 DDR-Bürger in die Bundesrepublik übergesiedelt.

26. März
Das Flensburger Kaufhaus Beate Uhse schickt vier Lkws mit insgesamt 140 000 Broschüren nach Leipzig, Halle, Chemnitz und Dresden. Binnen Stunden sind die bunten Lust-Broschüren vergriffen.

31. März
Die Deutsche Bundesbank empfiehlt für eine Währungsunion einen generellen Umtauschkurs 2:1, einen Umtauschsatz 1:1 könne die DDR nicht verkraften. Am 5. April protestieren Hunderttausende in Ost-Berlin und anderen DDR-Städten gegen diesen Vorschlag.

3. April
Die ersten 95 DDR-Urlauber landen auf Mallorca.

4. April
Der Leipziger Rechts- und Kriminalsoziologe Wolfgang Brück ermittelt bei DDR-Jugendlichen eine erschreckende Ausländerfeindlichkeit. Ein Viertel der befragten Schüler und Lehrlinge waren „gegen Ausländer", ein Fünftel wünschte sich ein „Deutschland in den Grenzen von 1937". Die Ausländer in der DDR leben zunehmend in Angst.

5. April
Konstituierende Sitzung der neugewählten Volkskammer. Ein Prüfungsausschuß soll den Verdächtigungen einer Stasi-Mitarbeit von Abgeordneten nachgehen.

12. April
Die Volkskammer wählt CDU-Chef Lothar de Maizière zum ersten demokratisch legitimierten Ministerpräsidenten der DDR. Er steht einer Großen Koalition aus CDU, DSU, DA, SPD und Liberalen vor. Bestandteil des Koalitionsvertrages ist der Beitritt der DDR zur Bundesrepublik nach Artikel 23 des Grundgesetzes.

13. April
Kurt Masur, Chef des Leipziger Gewandhausorchesters, wird zum Musikdirektor der New Yorker Philharmoniker berufen. Sein Amt wird er im September 1991 antreten.

19. April
In seiner Regierungserklärung mahnt de Maizière bei der Bundesrepublik Solidarität an: „Die Teilung kann nur durch Teilen aufgehoben werden."

23. April
Die Bundesregierung gibt ihr Umtauschkursangebot bekannt: Löhne und Gehälter sowie Sparguthaben bis zu einer Höhe von 4000 Mark sollen im Verhältnis 1:1 eingewechselt, höhere Guthaben sowie Schulden von Betrieben im Verhältnis 2:1 verrechnet, die Renten an die Löhne gekoppelt werden.

25. April
Der DDR-Unternehmerverband konstatiert einen völligen Zusammenbruch des Inlandmarktes. Vor allem die Bereiche Rundfunk- und Fernsehtechnik, Automobilbau, Bekleidungsindustrie und Teile der Chemie hätten keine Chance mehr. Um einen Stopp der Lebensmittelimporte aus dem Westen zu erreichen, blockieren Bauern bei Magdeburg Grenzübergänge.

28. April
Erstmals verkehren wieder regelmäßig Elbfähren zwischen den beiden deutschen Staaten.
Auf einem Sondergipfel zur deutschen Einheit in Dublin billigen die Staats- und Regierungschefs der EG Bonns Fahrplan zur Einheit und die Eingliederung des DDR-Staatsgebietes in die EG. Eine Finanzhilfe für die DDR wird allerdings abgelehnt.

5. Mai
Erste Ministerrunde der „Zwei-plus-Vier"-Gespräche über die äußeren

Aspekte der Einheit in Bonn. Teilnehmer sind die Außenminister der beiden deutschen Staaten und der vier Siegermächte USA, UdSSR, Frankreich und Großbritannien. Die UdSSR hält an ihrem Nein zu einer NATO-Mitgliedschaft Deutschlands fest.

6. Mai
Bei den Kommunalwahlen in der DDR bleibt die CDU stärkste Kraft.

10. Mai
Aus Sorge um ihre soziale Sicherheit treten in der DDR Bauern, Pädagogen und Textilarbeiter in den Warnstreik.

11. Mai
In Bonn nimmt der Bundestagsausschuß „Deutsche Einheit" seine Arbeit auf. Er soll den Einigungsprozeß parlamentarisch begleiten.

16. Mai
Bund und Länder einigen sich auf ein Finanzierungsmodell für die DDR und das vereinigte Deutschland bis 1994. Die DDR erhält aus einem „Fonds Deutsche Einheit" 115 Milliarden Mark. Er wird überwiegend aus Krediten finanziert.

18. Mai
Die Finanzminister Walter Romberg (DDR-SPD) und Theo Waigel (CSU) unterzeichnen in Bonn den Staatsvertrag zur Währungs-, Wirtschafts- und Sozialunion. Die SPD machte ihre Zustimmung von Nachbesserungen abhängig.

21. Mai
Im neuen IFA-Kombinat Mosel bei Zwickau läuft der erste in der DDR montierte VW-Polo vom Band. Am selben Tag wird der dreimillionste Trabant gefertigt.

26. Mai
SPD-Kanzlerkandidat Oskar Lafontaine bezeichnet die Wirtschaftsunion zum 1. Juli als „eminente Fehlentscheidung". Er empfiehlt, die SPD solle den Staatsvertrag im Bundestag ablehnen, im Bundesrat jedoch passieren lassen. Der Vorschlag stößt in weiten Kreisen der Partei auf scharfe Ablehnung.

30. Mai
In der DDR steigen die Unfallzahlen dramatisch an. Einige Bezirke melden 45 Prozent mehr Verkehrsunfälle als im Vorjahr.

1. Juni
Die Volkskammer tagt erstmals ohne das Staatsemblem aus Hammer, Zirkel und Ährenkranz. Die 1953 in Karl-Marx-Stadt umbenannte Stadt Chemnitz erhält offiziell ihren alten Namen zurück.

6. Juni
In Ost-Berlin wird die mutmaßliche RAF-Terroristin Susanne Albrecht festgenommen, die unter Stasi-Schutz zehn Jahre lang in der DDR lebte. Bis zum 18. Juni werden in der DDR neun weitere langgesuchte Angehörige der westdeutschen Terrorszene verhaftet.

7. Juni
Die „Bild"-Zeitung, vier Monate zuvor erstmals in der DDR angedruckt und fast täglich schwarz-rot-gold gerahmt, ist mit über einer Million verkauften Exemplaren die größte Tageszeitung der DDR.
Christa Wolf veröffentlicht ihre Erzählung „Was bleibt", in der sie ihre Stasi-

Überwachung Ende der 70er Jahre schildert. Kritiker werfen ihr vor, sie versuche sich von der Nutznießerin zum Opfer des Systems umzuschminken. Es folgt eine Debatte über Vergangenheit und Mitschuld der DDR-Schriftsteller.

12. Juni
Zum ersten Mal seit 1948 kommen der Senat von West-Berlin und der Magistrat von Ost-Berlin zu einer gemeinsamen Sitzung zusammen.

13. Juni
In Berlin beginnt der endgültige Abriß der 47 Kilometer langen Mauer. Nur an vier Stellen sollen Reste als Mahnmal stehenbleiben.

14. Juni
Die SPD kündigt nach Gesprächen mit der Regierung an, dem Staatsvertrag zuzustimmen. Die Bundesregierung gibt vier Tage später kleinere Änderungen im Sinne der SPD-Forderungen bekannt.

16. Juni
Bonn und Ost-Berlin einigen sich darauf, alle Enteignungen in der DDR nach 1949 auf Antrag rückgängig zu machen oder die Betroffenen zu entschädigen. Enteignungen unter sowjetischem Besatzungsrecht zwischen 1945 und 1949 bleiben unberührt.

17. Juni
Die DSU bringt am Tag der deutschen Einheit in der Volkskammer einen Antrag auf sofortigen Beitritt der DDR zur Bundesrepublik ein. Er wird in die Ausschüsse verwiesen.

21. Juni
Der Staatsvertrag über die Wirtschafts-, Währungs- und Sozialunion passiert Bundestag und Volkskammer, einen Tag später stimmt auch der SPD-dominierte Bundesrat zu.

22. Juni
Am Grenzübergang Checkpoint Charlie wird das 12 Tonnen schwere Wachhaus demontiert. Die Außenminister der vier Siegermächte und der beiden deutschen Staaten wohnen der Zeremonie bei.

25. bis 27. Juni
Die Präsidentinnen des Bundestages und der Volkskammer, Rita Süssmuth und Sabine Bergmann-Pohl, bekräftigen in Israel die Verantwortung Gesamtdeutschlands gegenüber dem jüdischen Staat. Schamir spricht ihnen gegenüber ein vorbehaltloses Ja zur Einheit der Deutschen aus.

29. Juni
Bundespräsident von Weizsäcker greift in die Debatte um die künftige Hauptstadt ein. In der Berliner Nikolaikirche plädiert er für Berlin als Hauptstadt und Regierungssitz.

1. Juli
Um 0 Uhr tritt die Wirtschafts-, Währungs- und Sozialunion in Kraft, die D-Mark wird alleiniges Zahlungsmittel in der DDR, ab sofort gelten in ihr die wichtigsten Wirtschafts- und Sozialgesetze der Bundesrepublik. Die Kontrollen an der innerdeutschen Grenze und das Notaufnahmeverfahren entfallen. Auch die 380 000 sowjetischen Soldaten in der

DDR bekommen ihren Sold nun in D-Mark.

6. Juli
In Ost-Berlin beginnen die Verhandlungen über den zweiten Staatsvertrag (Einigungsvertrag), der Einzelheiten über den Beitritt der DDR zur Bundesrepublik regeln soll.

16. Juli
Auf ihrem Kaukasus-Gipfel verkünden Kohl und Gorbatschow den Durchbruch in der Bündnisfrage. Der sowjetische Staatspräsident gesteht Deutschland zu, daß es über seine Bündniszugehörigkeit frei entscheiden kann und noch 1990 die volle Souveränität erhalten soll. Kohl stimmt einer Reduzierung der Truppen im vereinten Deutschland auf maximal 370 000 Mann zu.

21. Juli
Auf dem ehemaligen Todesstreifen am Potsdamer Platz in Berlin geht mit der Rock-Oper „The Wall" das bislang aufwendigste Rock-Spektakel der Geschichte über die Bühne. Vor einer Milliarde Fernsehzuschauern in aller Welt wird eine 25 Meter hohe Mauer aus 2500 Styroporblöcken zum Einsturz gebracht.

22. Juli
Die Volkskammer verabschiedet das Gesetz zur Wiedereinführung der einstigen Länder Mecklenburg-Vorpommern, Brandenburg, Sachsen-Anhalt, Sachsen und Thüringen.

27. Juli
Enttäuschung bei Hoteliers und Bürgermeistern an der DDR-Ostseeküste: Statt des erwarteten Ansturms zahlungskräftiger Gäste aus dem Westen prägen überall leere Strände und Zimmer das Bild. Die Tourismuspleite bringt traditionelle Ferienorte an den Rand des Ruins.

30. Juli
Bayerns Ministerpräsident Max Streibl erklärt, bei einer Hauptstadt Berlin sei zu befürchten, daß der Druck des „Straßenmobs" gegen parlamentarische Entscheidungen zu groß würde. Eine „Hauptstadt Kreuzberg" sei das letzte, was man sich wünschen könne.

2. August
Bundesinnenminister Wolfgang Schäuble und DDR-Staatssekretär Günther Krause unterzeichnen in Ost-Berlin den Wahlvertrag für die erste gesamtdeutsche Bundestagswahl.

3. August
DDR-Ministerpräsident de Maizière schlägt in Abstimmung mit Bundeskanzler Kohl überraschend vor, statt am 2. Dezember schon am 14. Oktober ein gesamtdeutsches Parlament wählen zu lassen. Opposition und Öffentlichkeit reagieren auf den verfassungsrechtlich bedenklichen Vorstoß ablehnend. Am 9. August erklärt die Koalition, es bleibe beim Wahltermin 2. Dezember.

11. August
Die Liberalen der Bundesrepublik und der DDR schließen sich in Hannover zur ersten gesamtdeutschen Partei zusammen. Zum Vorsitzenden wird FDP-Chef Otto Graf Lambsdorff gewählt.

15. August
In Ost-Berlin und zahlreichen anderen Städten der DDR demonstrieren

250 000 Bauern gegen einen „Ausverkauf" der Landwirtschaft im Ostteil des künftigen vereinigten Deutschland.

22. August
In einer in Genf abgegebenen gemeinsamen Verpflichtung erklären die beiden deutschen Staaten, daß ein vereintes Deutschland auf ABC-Waffen verzichten werde.

23. August
Die Volkskammer beschließt nach einer nächtlichen Sondersitzung den Beitritt zur Bundesrepublik zum 3. Oktober.

31. August
Bundesinnenminister Wolfgang Schäuble und DDR-Staatssekretär Günter Krause unterzeichnen in Ost-Berlin den Einigungsvertrag. Er regelt auf über 1100 Seiten den Beitritt der DDR zur Bundesrepublik und erklärt Berlin zur Hauptstadt, die Frage des Regierungssitzes bleibt einem künftigen gesamtdeutschen Souverän überlassen. Der Vertrag enthält einen in letzter Minute gefundenen Kompromiß zwischen Regierung und Opposition zum lange umstrittenen § 218, nach dem die Fristenregelung für weitere zwei Jahre auf dem bisherigen DDR-Gebiet weiter gilt.

1. September
Die CDU Sachsens wählt den früheren CDU-Generalsekretär Kurt Biedenkopf zum Ministerpräsidenten-Kandidaten. Auch andere DDR-Parteien importieren für die Landtagswahlen Spitzenkandidaten aus dem Westen.
Bei den Leichtathletik-Europameisterschaften in Split tritt zum letztenmal eine eigenständige DDR-Mannschaft auf. Mit zwölf Goldmedaillen scheidet sie als erfolgreichstes Team von der internationalen Bühne.

3. September
Zum ersten Schultag nach den Sommerferien sind in der DDR Staatsbürgerkunde und Russisch als Pflichtfächer abgeschafft. Die Bundesregierung hat 30 Millionen Mark für neue Schulbücher bereitgestellt. Viele SED-Schuldirektoren sind abgesetzt worden.

4. September
Rund 30 DDR-Bürgerrechtler besetzen die alte Stasi-Zentrale in Ost-Berlin. Sie verlangen, daß keine der sechs Millionen Stasi-Akten in die Bundesrepublik verlagert wird. Ihre Forderung wird erfüllt, im Einigungsvertrag der Verbleib der Akten in Berlin festgeschrieben.

5. September
Der Hamburger CDU-Bürgerschaftsabgeordnete Gerd Löffler wird als mutmaßlicher DDR-Agent festgenommen.

12. September
Die Außenminister der beiden deutschen Staaten und der vier Siegermächte des Zweiten Weltkriegs unterzeichnen in Moskau den „Zwei-Plus-Vier-Vertrag". Bonn sagt der Sowjetregierung 13 Milliarden Mark für Stationierung und Abzug der sowjetischen Truppen auf dem ehemaligen DDR-Gebiet zu.

14. September
Das Hamburger Verlagshaus Gruner & Jahr und der britische Verleger Robert Maxwell kündigen die Übernahme des

ehemals SED-eigenen Berliner Verlags an.

15. September
Der Freie Deutsche Gewerkschaftsbund FDGB, vor einem Jahr noch zehn Millionen Mitglieder stark, beschließt seine Auflösung zum 30. September. Das Restvermögen soll in den DGB eingebracht werden.

18. September
Das Bundesverfassungsgericht weist die Klage von acht CDU/CSU-Abgeordneten zurück, welche die im Einigungsvertrag vorgesehene Festschreibung der Oder-Neiße-Grenze verhindern wollten.

20. September
Bundestag und Volkskammer billigen mit der erforderlichen Zweidrittel-Mehrheit den Einigungsvertrag.

24. September
Die DDR tritt aus dem Warschauer Pakt aus.

27. September
Die Sozialdemokraten aus Ost und West schließen sich in Berlin zur gesamtdeutschen SPD zusammen. Parteichef bleibt Hans-Jochen Vogel.

28. September
Auf der letzten Arbeitssitzung der Volkskammer bekennen sich zum erstenmal mehrere Abgeordnete zu ihrer Stasi-Vergangenheit. In nichtöffentlicher Sitzung werden die Namen von 15 als stark belastet eingestuften Parlamentariern verlesen.

1. Oktober
Die Außenminister der vier Siegermächte unterzeichnen in New York eine Erklärung, mit der ab dem 3. Oktober dem vereinten Deutschland die volle Souveränität zurückgegeben wird.
Auf ihrem Hamburger Parteitag schließen sich die CDU-Verbände beider deutscher Staaten zur gesamtdeutschen CDU zusammen. Helmut Kohl wird mit über 98 Prozent der Stimmen zum Vorsitzenden gewählt, Lothar de Maizière zu seinem Stellvertreter.

2. Oktober
Die Volkskammer löst sich auf. Mit Verabschiedung der westalliierten Stadtkommandanten wird nach 45 Jahren der Besatzungsstatus Berlins beendet.

3. Oktober
Tag der deutschen Einheit. Die Freiheitsglocke im Berliner Rathaus Schöneberg läutet um Mitternacht den neuen Nationalfeiertag ein, am Reichstag wird die schwarzrotgoldene Flagge gehißt. Kanzler Kohl erklärt in einer Botschaft an alle Regierungen der Welt, daß von deutschem Boden in Zukunft nur Frieden ausgehen werde und Deutschland keinerlei Gebietsansprüche gegen irgend jemanden erheben werde.

4. Oktober
Im Berliner Reichstagsgebäude tritt das gesamtdeutsche Parlament zusammen, das um 144 Abgeordnete aus der alten DDR auf 663 Parlamentssitze erweitert wurde. Mit der Vereidigung von fünf bisherigen DDR-Politikern als neue Bundesminister für besondere Aufgaben ist die erste gesamtdeutsche Regierung im Amt.
Das Bundesverteidigungsministerium übernimmt das Kommando über die frühere Nationale Volksarmee.
Die nun auch für die fünf neuen Bundesländer zuständige Bundesanstalt für Arbeit konstatiert gegenläufige Tendenzen auf dem deutschen Arbeitsmarkt: sinkende Arbeitslosigkeit in der alten Bundesrepublik, ansteigende in der ehemaligen DDR.

10. Oktober
Mehrere hochrangige DDR-Spione werden enttarnt. Sie hatten sich zum Teil noch nach dem 3. Oktober mit ihren ehemaligen Führungsoffizieren getroffen.

14. Oktober
Bei den Landtagswahlen in der DDR verbucht die CDU einen hohen Sieg, sie kann bis auf Brandenburg alle neuen Bundesländer regieren.

9. November
Bundeskanzler Kohl und Staatspräsident Gorbatschow unterzeichnen in Bonn den deutsch-sowjetischen Vertrag.

10. November
Der Vorstand der in Finanzmanipulationen verwickelten SED-Nachfolgeorganisation PDS beschließt, 80 Prozent ihres auf 2,3 Milliarden Mark geschätzten Vermögens an die Treuhandanstalt abzugeben.

21. November
Beim KSZE-Gipfel in Paris unterzeichnen die Staats- und Regierungschefs Europas, Kanadas und der USA die „Pariser Charta für ein neues Europa", mit der die Ära der Konfrontation und Teilung feierlich beendet wird.
In Leipzig wird die Vereinigung des Deutschen Fußballs vollzogen.

30. November
Im Berliner Bezirk Pankow fallen die letzten Segmente der Mauer.

2. Dezember
Aus den ersten freien gesamtdeutschen Wahlen seit 1932 geht die CDU/CSU mit 43,8 Prozent als Sieger hervor. Die SPD erhält 33,5 Prozent, die FDP 11,0 Prozent der Stimmen. Die PDS überspringt mit 9,8 Prozent im Osten die Fünf-Prozent-Hürde, auch das Bündnis 90/Grüne ist mit 6,6 Prozent der Ost-Stimmen im Bundestag vertreten.

15. Dezember
Das Erste Programm des Deutschen Fernsehfunks wird von der ARD übernommen. Das ZDF ist bereits seit dem 2. Dezember auf einer bislang ungenutzten dritten Sendekette im Osten präsent.

17. Dezember
Wegen ungeklärter Stasi-Vorwürfe tritt der frühere DDR-Ministerpräsident Lothar de Maizière als Bundesminister für besondere Aufgaben zurück. Er gibt auch das Amt des stellvertretenden CDU-Bundesvorsitzenden auf.

20. Dezember
Im Berliner Reichstag tritt das erste freigewählte gesamtdeutsche Parlament seit Machtergreifung der Nazis 1933 zusammen.